武林五賊

무림오적

무림오적 44

초판 1쇄 발행 2022년 7월 27일

지은이 | 백야
발행인 | 신현호
편집장 | 이호준
편집부 | 송영규 최종건 정재웅 양동훈 곽원호 조정범 강준석 최성화
편집디자인 | 한방울
영업 | 김민원

펴낸곳 | ㈜디앤씨미디어
등록 | 2002년 4월 25일 제20-260호
주소 | 서울시 구로구 디지털로 26길 111 JnK디지털타워 503호
전화 | 02-333-2513(대표)
팩시밀리 | 02-333-2514
E-mail | papy_dnc@dncmedia.co.kr
블로그 | blog.naver.com/gnpdl7

ISBN 978-89-267-1899-5 04810
ISBN 978-89-267-3458-2 (SET)

백야 신무협 장편소설

PAPYRUS ORIENTAL FANTASY

44

武林五賊

무림오적

PAPYRUS

파피루스

1장.

사상함미(蛇相銜尾)

배가 고파서, 혹은 적으로 오인해서, 혹은 머리가 이상해져서
제 꼬리를 먹는 뱀도 그러한 일 중 하나라 할 수 있었다.
그리고 그렇게 제 꼬리를 먹는 뱀을 가리켜 함미사(銜尾蛇)라고 했다.

1. 오직 한 곳

쏴아아아!

비는 그칠 기미가 없었다.

외려 시간이 흐를수록, 밤이 깊어 갈수록 폭우는 더욱 거칠게 이 드넓은 황야를 휘몰아치고 있었다.

대지가 낮은 곳은 순식간에 물에 잠겼고, 곳곳에 새로운 물줄기가 생겨났다.

매우 좁고 작은 개울로 시작한 물줄기는 차츰 시간이 흐르면서, 거친 물소리를 일으키며 주변의 흙과 덤불을 집어삼키는 격랑(激浪)의 하천으로 변했다.

쏴아아아! 콰아아아!

쉴 새 없이 퍼붓는 빗소리와 거침없이 흐르는 격랑의 물소리가 이 한밤중의 황야 전체에 울려 퍼지고 있었다.

몇 개의 거센 물줄기를 단번에 뛰어넘은 후, 청련은 자신의 수하들이 잠복한 덤불 더미를 확인하고는 이내 안도의 한숨을 내쉬었다.

빗물과 격랑의 하천으로 덤불 더미가 떠내려 갔으면, 그래서 수하들이 숨을 곳을 잃고 사방으로 흩어졌으면 사실 그걸 찾아내는 것도 꽤 귀찮은 일이었으니까.

청련은 미소를 머금고 덤불 더미로 향했다. 기척은 전혀 느껴지지 않았다.

'좋아.'

만족한 미소가 그녀의 입가에 스며들었다.

자신이 저들의 기척을 눈치채지 못할 정도로 제대로 훈련받은 것이다. 지난 십여 년 이상의 호된 질책과 엄한 수업이 마침내 결실을 맺은 듯했다.

'이 정도 은신술이라면 나도 뒤를 당하겠는걸?'

내심 그렇게 중얼거리던 청련은 문득 자신의 엉덩이를 까고 새하얀 둔부를 드러낸 채 수하들에게 마구 능욕당하는 모습을 그리고는 피식 웃었다.

뒤가 그 뒤가 아니었지만, 또 그 뒤라 하더라도 상관은 없었다. 어차피 당하는 건 그녀가 아니라 그들이었으므로.

'이번 일이 끝나면 잔뜩 포상해 줘야겠구나.'

청련은 그런 생각을 하면서 덤불 가까이 접근했다.

그리고 덤불 더미를 헤치고 안으로 들어서려는 순간, 일순 그녀의 안색이 급변했다.

'피 냄새?'

세찬 비바람에 가려졌던 피 냄새가 덤불 더미 안쪽에서 희미하게 흘러나오고 있었다. 노회한 청련의 후각이 아니었더라면 결코 알아차릴 수 없을 정도의 미미한 피 냄새였다.

설마.

한때 흑묘낭랑이라 불리며 뭇 강호인들에게 공포의 대상이 되었던 청련은 허리춤에서 호조구(虎爪具)를 꺼내 양손에 착용했다.

찰칵!

낮은 소리와 함께 그녀의 손이 순식간에 반 자 이상 길어졌다.

양손을 각각 호랑이 발톱이라 불리는 다섯 개의 길고 날카롭고 흉포한 칼날로 무장한 그녀는 가볍게 손을 뻗어 덤불을 헤쳤다.

스스슥

이내 질긴 넝쿨들이 종이 잘리듯 베어지며 덤불 안쪽 공간의 모습이 확연하게 드러났다.

"이런……."

청련은 저도 모르게 중얼거렸다. 동시에 오십 줄의 나이였지만 아직 예전의 그 아름답고 매혹적인 외모를 간직하고 있던 그녀의 얼굴이 추악하게 일그러졌다.

덤불 더미 그 좁은 공간 속, 그녀의 수하들이 아무렇게나 널브러져 있었다. 머리가 깨진 자, 목이 베인 자, 가슴에 구멍이 난 자 할 것 없이 모두 목숨을 잃고 쓰러져 있었다.

"도대체 누가……."

청련이 이를 갈았다.

도대체 누가 감히 이런 짓을 벌인 걸까.

그녀의 눈에서 새파란 안광(眼光)이 번들거릴 때였다.

"으아아아악!"

조금 떨어져 있는 또 다른 덤불 더미, 그곳에서 누군가 크게 울부짖는 소리가 거친 폭우 사이를 헤집고 들려왔다.

청련의 귀가 쫑긋거렸다. 조금 전 헤어졌던 홍련이 울부짖는 목소리였다.

"설마 언니네도?"

청련은 덤불 더미에서 빠져나와 곧장 홍련을 향해 날아갔다.

쏴아아!

거센 빗물이 청련의 전신을 후려갈기는 와중에 그녀는

순식간에 이십여 장 거리를 날아서 또 다른 덤불 앞으로 내려섰다.

그곳에는 홍련이 머리를 부여잡고 짐승이 포효하는 듯한 절규를 내뿜고 있었다. 홍련의 전신에서는 범접할 수 없는 광기(狂氣)가 서리서리 흘러나왔다.

청련이 그녀의 뒤로 한 걸음 다가서는 순간, 홍련은 빠르게 몸을 돌리면서 손을 뻗었다. 일순 새하얀 빛줄기 하나가 거침없이 퍼붓는 빗방울과 빗방울 사이를 관통하며 청련에게로 날아들었다.

청련은 황급히 호조구를 휘두르며 소리쳤다.

“저예요, 언니!”

홍련은 그제야 상대가 청련이라는 걸 확인하고는 빠르게 손을 회수했다. 동시에 그녀의 손에서 뿜어져 나왔던 빛줄기도 거짓말처럼 사라졌다.

홍련의 시커멓게 변한 눈동자가 원래의 색으로 되돌아왔다. 그녀의 전신을 휘감고 있던 광기 또한 이내 사라졌다.

하지만 그녀는 순식간에 십여 년 이상은 늙어 버린 얼굴로 청련을 바라보며 처연하게 입을 열었다.

“내 아이들이 모두 죽었구나.”

청련도 눈물까지 글썽이며 말했다.

“제 아이들도요. 도대체 누가 이런 짓을 했을까요?”

“나도 모르겠다.”

홍련은 한숨을 쉬고는 덤불 더미 안에 널브러져 있는 시신들을 내려다보며 고개를 저었다.

"특정한 문파의 무공이 아니다. 그저 비겁하게 몰래 뒤에서 나타나 찌르게 베고 후려쳐 바스러뜨린 거다."

청련은 붉은 입술을 깨물었다. 자신의 수하들 역시 대부분 그런 식으로 죽어 있었다. 그리고 몇몇 자들은 뒤늦게 정신을 차리고 싸우려고 했는지 가슴과 얼굴, 복부에 큰 상처를 입은 채 죽어 있었다.

대충 상황이 그려졌다.

놈들은, 아마도 십여 명은 족히 되는 놈들은 덤불 더미 뒤쪽에서 갑작스레 튀어나와 그녀와 홍련의 수하들을 암습했으리라.

강만리 일행의 동태를 주시하고 있던 수하들은 그 느닷없는 기습에 절반 이상 목숨을 잃었고, 뒤늦게 기습을 알아차린 수하들은 목숨을 걸고 싸우려 했을 테다.

하지만 중과부적(衆寡不敵), 결국 놈들의 압도적인 숫자와 무력 앞에 속절없이 쓰러졌을 것이다.

청련이 거기까지 생각했을 때, 문득 홍련이 차갑게 눈빛을 발산하며 그녀에게 물었다.

"강만리, 놈들의 짓일까?"

"그건 아니라고 봐요."

노회하고 계산이 빠른 청련은 천천히 고개를 저으며 자

신의 추론을 설명했다.

"최소한 십여 명 이상의 기습이에요. 만약 강만리 일당 중에서 십여 명 이상이 움직였다면, 그걸 눈치채지 못할 리가 없어요."

그러자 이제 광기에서 벗어나 예전의 그 표독스럽고 위험하기 그지없는 독염지주로 돌아온 홍련이 서늘한 살기가 번들거리는 목소리로 물었다.

"그렇다면 또 다른 누군가의 짓이란 말이지?"

"아마도 그럴 거예요."

청련은 자신 있게 말했다.

"지금 이 황야에는 우리와 강만리 일당 말고 두 개의 또 다른 무리가 섞여 있으니까요. 어쩌면 그들 중 한 무리가 한 짓일지도 몰라요."

강만리 일행의 뒤를 쫓는 건 북방군만이 아니었다. 그건 며칠 전에 북방흑제 현명군이 확인하여 그의 당주들에게 이야기한 바가 있었다. 동시에 굳이 그들과 신경전을 벌여서 시간과 힘을 낭비하지 말라는 명령도 내렸다.

하지만 상황이 달라졌다.

놈들이 먼저 우리를 건드린 거라면 결코 가만있을 수는 없었다.

당연히 복수를 해야 했다.

그리고 복수는 시간과 힘을 낭비하는 일이 아니었다.

수하들, 자식처럼 끔찍하게 아끼던 수하들의 죽음에 대한 공양(供養)이자 빚을 갚는 일이었으니까.

"흑제(黑帝)의 말씀대로 놈들은 살수 집단일 가능성이 크다. 또 살수들이기에 이렇게 근본 없는 암습과 무공의 흔적을 남겼을 터……."

혼잣말처럼 중얼거리는 홍련의 눈빛이 또다시 탁해지기 시작했다.

"우리 아이들이 제대로 싸워 보지도 못하고 목숨을 잃을 정도의 실력자들이라면 역시 삼대 살수 조직 중 하나이겠지."

청련이 고개를 끄덕이며 말을 받았다.

"대자객교는 아닐 거예요. 그래도 그들은 나름대로 살수행의 법도와 낭만을 지키는 자들이라, 이렇게 엉망으로 흔적을 남겨 두지 않으니까요."

"그렇다면 역시 살막 놈들이겠군. 놈들은 그저 피에 굶주린 승냥이 같은 무리들이니까."

"아마 그럴 거예요."

"좋아, 그럼 당장 흑제를 만나러 가자. 가서 이 사실을 알리고 빠르게 놈들의 흔적을 찾아 이 빚을 갚아야겠지."

홍련의 말에 청련이 고개를 끄덕였다. 동시에 두 여인은 지면을 박차고 허공을 날았다. 두 개의 신형은 순식간에 까만 점이 되어 폭우가 쏟아지는 밤하늘 저편으로 자취를 감췄다.

그리고 다음 순간, 덤불 뒤쪽 지면이 들썩거리는가 싶더니 두 개의 신형이 천천히 몸을 일으켰다. 전신이 흙과 빗물과 피와 살점으로 뒤덮여서 전혀 제 모습을 알아볼 수가 없는 두 명의 사내, 바로 담우천과 장예추였다.

"재미있군그래."

담우천은 몸에 묻은 온갖 오물들을 털어 내며 입을 열었다.

"우리의 행적을 두고 살막이 범인이라 추측하다니 말이지."

사실 두 곳의 덤불 더미에 잠복하고 있던 자들을 모두 해치운 담우천과 장예추는 바로 그 자리를 뜨지 않았다.

"보아하니 다들 엇비슷한 실력을 지닌 자들이다. 즉, 이들에게 지시를 내리는 자가 없다는 뜻이지."

담우천은 처참하게 갈려 나간 시신들을 내려다보며 장예추에게 말했다.

"그건 곧 이들에게 지시를 내릴 자가 다시 이곳을 찾을 거라는 뜻이고, 굳이 드넓은 황야를 돌아다닐 필요 없이 이곳에 숨어서 그가 오기를 기다리는 게 낫다는 의미일 터."

그래서 두 사람은 시신들의 몸에서 나온 피와 살점을 제 몸에 묻힌 후 덤불 뒤쪽 진흙땅을 파고 그 안에 드러

누워 있었던 것이다.

청련과 홍련은 전대의 거물이라 불려도 손색없을 정도의 뛰어난 무위를 지닌 고수였다. 주변 십여 장 내라면 개미의 움직임까지 알아차릴 정도로 뛰어난 이목을 지닌 고수였다.

그러나 담우천과 장예추의 기척을 눈치채기에는 상황이 너무 나빴다.

쉴 새 없이 퍼붓는 폭우와 바람은 잠복하고 있던 자들의 기척을 가려 주기에 충분했으며, 정작 그녀들은 자식처럼 아끼던 수하들의 처참한 시신 앞에서 이성을 잃고 광분하였다.

또한 이렇게 참혹한 현장을 만들어 낸 자들이 이곳을 뜨지 않은 채 여태 숨어서 자신들을 기다릴 거라고는 전혀 상상조차 하지 못했다.

무엇보다 장예추와 담우천은 그녀들이 그 기척을 알아차릴 수 없을 정도로, 완벽하게 자신들의 호흡을 숨기고 체온을 낮추고 심장 박동을 느리게 만들었다.

설령 지금 이곳이 화창한 날의 꽃밭이라 할지라도 청련과 홍련은 절대 담우천과 장예추의 은신을 눈치채지 못했을 것이다.

"그나저나 그때 죽은 줄 알았는데 말이지."

몸에 묻은 오물을 다 떼어 낸 담우천은 힐끗 청련과 홍련이 사라진 방향으로 시선을 돌리며 중얼거렸다.

"독염지주와 흑묘낭랑이라니. 이거 어쩌면 정사대전 당시 죽은 줄 알았던 사마외도의 인물들 모두 여태 살아 있는 건지도 모르겠네."

장예추도 몸의 오물을 떼어 내며 물었다.

"정사대전 당시의 인물들이었습니까?"

"그래. 정파 연합군의 많은 젊은 무림 고수들을 유혹하여 양기를 빼앗고 죽인 자들이었네. 하지만 곡성(谷城) 전투 당시 모두 죽음을 당했다고 알려졌었는데…… 아무래도 그게 아닌가 보네."

"그렇다면……."

"그래. 누군가 저들을 죽음으로 은폐하고 수하로 삼아 지금껏 부리고 있는 거겠지."

담우천의 말에 장예추는 문득 한 가문이 떠올랐다.

당연했다. 강호에서 그런 일을 할 만큼 대담하고 거침없는 성정을 가진 가문은 오직 하나였으니까.

2. 초극(超克)의 고수

"역시 천예무의 짓이겠군요."

장예추는 차분한 어조로 말했다.

"그렇겠지. 그렇다면 지금 이자들은 건곤가에 만든 숨은 조직의 일원일 테고……."

일순 장예추는 한 가지 기억이 떠올라 "아!" 하며 입을 열었다.

"예전에 이와 비슷한 무리를 만난 적이 있습니다. 사천당문에서요."

장예추는 자신을 죽이기 위해 사천당문을 찾아와 암습을 펼쳤던 한조와 축융군, 구망군 등에 대해서 간략하게 이야기했다.

이야기를 다 들은 담우천이 미미하게 고개를 끄덕이며 입을 열었다.

"오제(五帝)로군."

장예추도 알겠다는 표정을 지으며 말을 받았다.

"그러면 조금 전 저 노파들이 말하기를 흑제라 했으니, 이 무리는 북방흑제 현명군이라는 자가 지휘를 맡고 있겠군요."

"그럴 게다. 흠, 그나저나 구천십지백사백마에 버금가는 고수들을 휘하로 둘 정도라면 현명군이라는 자만큼은 경시할 수 없겠다."

"게다가 서로 다른 두 무리가 더 있다고 했으니 더더욱 조심해야 할 것 같습니다."

"그럼 현명군이라는 자가 어찌 생겼는지 한번 보러 가 볼까?"

"그러죠."

"아니, 자네는 돌아가게."

담우천의 말에 장예추가 의외라는 표정을 지었다. 담우천은 차분하고 담담한 표정으로 말을 이었다.

"자네는 가서 강 장주에게 지금 상황에 대해서 설명해 주게. 아마 그라면 제법 괜찮은 계획을 내놓을 테니까."

"혼자서 괜찮으시겠습니까?"

장예추의 물음에 담우천은 대답 대신 씨익 웃었다. 그 미소를 본 장예추는 저도 모르게 따라 미소를 지었다.

"알겠습니다. 그럼 조심하세요."

"그러지."

담우천은 힐끗 밤하늘을 올려다보았다.

분노한 청련과 홍련이 이 덤불 더미를 떠난 건 벌써 백을 헤아릴 정도의 시간이 경과한 후였다. 게다가 폭우는 여전했고, 사방은 앞뒤 분간할 수 없을 정도의 짙은 어둠으로 휘감겨 있었다.

하지만 담우천은 전혀 개의치 않았다. 터벅터벅 덤불 더미를 빠져나온 그는 청련과 홍련이 사라진 방향을 향해 가볍게 몸을 날렸다.

순간, 그의 신형은 여인들이 날아갔던 속도보다 두 배

이상 빠르게 허공을 가르며 순식간에 자취를 감췄다.

잠시 그 광경을 감상하듯 지켜보고 있던 장예추도 이내 어깨를 으쓱거리고는 강만리가 있을 덤불숲을 향해 몸을 날렸다. 그의 경공술 또한 담우천에 비해 결코 뒤떨어지지 않는 속도로 공간을 가르고 있었다.

* * *

"어라? 강 형님은요?"

덤불숲 동굴로 돌아온 장예추는 반나절도 안 되어 사십 명 가까운 자들은 참혹하게 살해한 것치고는 너무나도 태연하고 순박한 얼굴로 그렇게 물었다.

"모르겠네. 나간 지 제법 오래되었는데 아직 돌아오지 않고 있어."

만해거사가 고개를 저었다. 장예추는 주변을 돌아보았다. 평온해 보이는 가운데 살짝 분위기가 미묘했다.

흐르는 공기도 달랐다. 뭔가 들뜬, 혹은 긴장한 듯한 분위기가 사람들의 얼굴 위로 흐르고 있었다.

"무슨 일이라도 있었습니까?"

장예추가 묻자 만해거사가 고개를 끄덕이며 말했다.

"무슨 일이 있어도 단단히 있었다네."

그러고는 곧 조금 전 이곳을 습격해 왔던 자들에 대해

서 설명하기 시작했다.

"구천십지백사백마 중의 한 명인 벽력귀마도 소등재라는 자가 이끄는 무리였다. 다행히 자네의 부인이 설치해 둔 환빈야연 덕분에 모두 몰살시킬 수 있었지."

"으음."

장예추는 내심 고개를 갸웃거렸다.

'벽력귀마도라는 자 또한 건곤가 북방흑제의 휘하일 것이다. 아마도 독염지주나 흑묘낭랑과 같은 직위의 인물이겠지. 그런데 다른 자들이 움직이지 않고 있는데 홀로 기습해 왔다니…… 벽력귀마도의 개인적 일탈인지, 아니면 의도된 기습인지 모르겠다.'

장예추가 그렇고 홀로 상념에 젖어 있을 때였다. 밖으로 나갔던 돌아온 화군악이 그를 보고는 반색하며 다가와 어깨를 치며 말을 걸었다.

"어떻게 됐어? 나갔다 온 건."

"어디 갔다 온 건데, 너는?"

"나? 시신들 묻고 왔지. 참, 이야기 들었어? 조금 전에 벽력귀마도라는 작자가……."

"그래. 안 그래도 만해 사부께 이야기를 들었다."

"그렇구나. 이야, 정말 대단하더라. 그 환빈야연이라는 것 말이야. 앞으로 제수씨에게 잘 보여야겠더라. 괜히 밉보였다가 그 벽력 뭔가 하는 작자처럼 죽은지도 모르게 죽을 수 있으니까."

"헛소리."

장예추는 화군악의 실없는 농담에 눈살을 찌푸리고는 몸을 돌렸다.

"음? 어디 가게?"

"강 형님 찾으러. 급하게 할 이야기가 있거든."

"무슨 이야기인데? 아, 그래! 밖에 나갔던 일은 어찌 되었어? 그리고 왜 담 형님은 안 오고?"

"나중에 이야기해 주지."

장예추가 화군악을 떠밀며 동굴 밖으로 나가려던 순간이었다. 곰처럼 크고 멧돼지처럼 단단한 체구 하나가 폭우를 헤집고 동굴 안으로 들어섰다.

장예추와 화군악이 반색하며 동시에 말했다.

"강 형님?"

"어디 갔다 오시는 겁니까? 다들 찾았습니다."

강만리는 죽립과 우잠을 벗어 입구에서 빗물을 탈탈 털어 낸 후, 그들을 돌아보고는 의아한 표정을 지으며 물었다.

"어라? 예추, 네가 왜 여기 있냐? 그리고 다들 왜 아직도 자지 않고?"

"그게……."

장예추가 대답하려는 순간 화군악이 그를 제치고 앞으

로 나서며 수다를 떨듯 말했다.

"말도 마세요. 형님 없는 동안에 무슨 일이 있었는 줄 아세요? 무려 수십 명의 괴한이 암습해 왔다고요."

"음?"

일순 강만리의 눈빛이 바뀌더니 빠른 어조로 물었다.

"은자림의 살수들이었어?"

화군악의 눈이 커졌다.

"아닌데요."

"그럼?"

"벽력귀 뭐라고 하는, 구천십지백사백마 중 한 놈이 이끄는 무리였어요."

장예추가 끼어들었다.

"건곤가의 비밀 조직인 오제 중 북방흑제 휘하의 무리입니다."

"음?"

"응?"

이번에는 강만리와 화군악의 눈이 동시에 커졌다.

"그건 또 무슨 소리야?"

"그걸 어찌 알아낸 건데?"

장예추는 낮은 목소리로 말하려다가 문득 묘한 기분이 들어서 주위를 둘러보았다. 동굴 안의 모든 사람이 가까이 다가와 장예추의 이야기에 촉각을 곤두세우고 있었다.

강만리가 눈살을 찌푸리며 말했다.

"다들 돌아가 자라니까. 다음 불침번 설 사람들도 자고, 이미 섰던 사람들도 자라고. 조금이라도 체력을 챙겨 놓아야 할 때이니까 말이지."

무사들은 머쓱한 표정을 지으며 제자리로 돌아갔다. 하지만 예예를 비롯한 화평장 사람들은 여전히 눈빛을 반짝이며 주위에 몰려 있었다.

"다들 얼른 자리로 돌아가세요. 나중에 정리되는 대로 이야기해 드릴 테니까."

강만리의 말에 예예가 입을 삐죽였다.

"우리도 엄연히 들을 권리가 있다니까요. 왜 자꾸만 우리 여자들을 배제하는 건데요? 따지고 보면 벽력귀마도 일당을 물리친 것도 혜혜 언니 공이 제일 크잖아요?"

나찰염요가 고개를 끄덕였다.

"한 사람보다는 다섯 사람이, 다섯 사람보다는 열 사람이 함께 힘을 모으고 머리를 굴리는 게 훨씬 더 나은 대책을 강구할 것 같은데……."

당혜혜도 정소흔도 힘껏 고개를 끄덕이며 찬동했다. 강만리는 당황해하다가 결국 한숨을 쉬며 입을 열었다.

"정 그러시다면 다 같이 머리를 맞대 봅시다."

강만리는 그렇게 말한 후 모닥불 쪽으로 자리를 옮겼다. 화군악과 장예추, 만해거사는 물론이고 화평장의 여인네들도 우르르 모닥불 주위에 앉았다. 일반 무사들은 자리에 누워 잠든 척 코를 드르렁 골면서도 귀를 쫑긋거리고 있었다.

"그럼 예추, 너 먼저 이야기하자. 밖에서 어떤 일을 보고 겪었는지 말이다."

강만리의 말에 장예추는 곧바로 입을 열었다. 사람들은 잔뜩 긴장한 얼굴로 그의 이야기에 귀를 기울였다.

어느새 코 고는 소리도 들리지 않았다. 잠든 척 코를 골던 무사들은 코를 고는 것도 잊은 채 장예추의 이야기에 집중하고 있었다.

장예추의 이야기를 들은 강만리가 고개를 끄덕이며 중얼거렸다.

"그랬군. 은자림만 있는 줄 알았더니 살막까지 왔었던 거야."

화군악이 궁금함을 참지 못하고 물었다.

"그럼 형님은 밖에서 은자림의 살수들이라도 만나고 온 겁니까?"

"그래."

강만리는 나지막한 소리로 말했다.

"은자림의 삼십육귀(三十六鬼)라고 하더군. 얼마나 강한 자들인지는 모르겠지만…… 어쨌든 놈들을 지휘하는 건 태백현인이라는 자였어."

일순 만해거사와 장예추가 동시에 소리쳤다.

"태백현인!"

"십이현자가 직접 나섰다는 겐가?"

강만리는 눈을 동그랗게 뜨며 되물었다.

"태백현인이라는 자가 그리 무서운 자입니까? 그리고 십이현자는 또 뭐랍니까?"

"십이현자는 은자림을 지배하는 열두 명을 가리킵니다."

만해거사 대신 정유가 심각한 표정을 지으며 입을 열었다.

"태어났을 때부터 어미를 죽이고 아비를 살해했다는 소문이 있을 정도로, 또한 지금껏 최소한 천 명 이상을 살해한 전력이 있다는 이야기가 있을 정도로, 그리고 개개인의 무위가 문경(門境) 이상의, 초극(超克)의 경지에 오른 절대적인 고수라는 소리가 있을 정도의 인물들입니다."

"으음."

강만리는 엉덩이를 긁적이며 고개를 갸웃거렸다.

"글쎄. 내가 보기에는 그저 살짝 강해 보이는 평범한 늙은이였는데? 초극의 고수는 절대 아니라고 보는데 말이지."

강만리는 과거 북경부 자금성에서 무집사의 수좌였던

양노백이라는 거물을 만난 적이 있었다.

그리고 당시 강만리는 그저 그자의 앞에 가만히 서 있는 것만으로도 오금이 저리고 호흡이 가빠 오는, 그 항거할 수 없는 무형의 압박과 위압과 위엄에 스스로가 한없이 초라해지는 경험을 느껴야만 했다.

무릇 초극고수라 함은 그런 위압감이 있어야 했다. 하지만 강만리가 만나 본 태백현인은 그에게 그런 위압감을 전혀 주지 못했다.

강만리의 말에 몇몇 사람들은 헤에, 하고 혀를 내둘러야 했다.

정유가 침착하게 말했다.

"형님이 만나 봤다는 양노백이 얼마나 대단한 자인지는 모르겠지만, 모르기는 몰라도 공적십이마나 우내구신(宇內九神) 중 한 명일 겁니다."

"흐음."

강만리의 표정이 신중해졌다. 그는 잠시 생각하다가 고개를 저으며 입을 열었다.

"그래. 뭐, 그럴 수도 있겠지. 어쨌든 은자림에서는 태백현인과 삼십육귀가 왔고, 그들이 우리를 노리고 있다는 걸 확인한 참이었네."

"골치 아프게 되었군그래."

만해거사가 길게 한숨을 내쉬며 중얼거렸다.

"건곤가와 은자림, 거기에 또 살막까지 왔다니 말이지."

놀란 표정으로 듣고 있던 예예가 살짝 떨리는 목소리로 말했다.

"그들 세 조직이 합세하여 공격을 해 온다면…… 그때는 정말 일이 커지겠어요."

"그렇게는 안 될 겁니다, 형수."

장예추가 말했다.

"흑묘낭랑과 독염지주는 자신들의 수하가 다른 조직, 가령 살막 등에게 당한 거라고 생각하고 있으니까요."

"흐음."

강만리가 엉덩리를 긁적이다가 저도 모르게 입을 열었다.

"사상함미(蛇相銜尾)인 겐가?"

일순 사람들이 일제히 그를 돌아보았다.

3. 꼬리

세상에는 일반 상식으로는 설명할 수 없는 일들이 왕왕 벌어진다.

배가 고파서, 혹은 적으로 오인해서, 혹은 머리가 이상해져서 제 꼬리를 먹는 뱀도 그러한 일 중 하나라 할 수 있었다. 그리고 그렇게 제 꼬리를 먹는 뱀을 가리켜 함미사(銜尾蛇)라고 했다.

사상함미는 곧 뱀과 뱀이 상대의 꼬리를 먹는 걸 의미했다.

서로 그렇게 상대의 꼬리부터 먹기 시작하면 과연 누가 누구를 먹는 게 될까? 그리고 결국 마지막에 먼저 먹히는 자는 또 누가 되는 것일까. 승리는 누구의 것일까.

* * *

쏴아아아!

천지가 떠내려 갈 것처럼 폭우가 쏟아지는 한밤중이었다.

벌써 한나절가량 쉴 새 없이 장대비가 퍼붓고 있었다. 먼 옛날 거대한 홍수로 대륙 전역이 물바다가 되었다는 전설이 떠오를 정도로 심각하게 비가 내리고 있었다.

앞뒤를 분간할 수 없을 정도로 퍼붓는 폭우는 살아 있는 모든 것들의 기척과 흔적을 지웠다. 사람의 땀 냄새와 호흡, 심장 박동 소리가 빗물에 씻겨 진흙탕 속으로 스며들었다.

하지만 담우천은 전혀 당황하지 않았다. 그는 밤하늘

저편으로 사라졌던 독염지주와 흑묘낭랑의 뒤를 쫓아 한 줄기 유성(流星)처럼 밤하늘을 긋듯 날아갔다.

얼마나 빠른 경공술이었는지, 세찬 비바람과 함께 담우천의 우장이 깃발처럼 펄럭였다. 그리고 그건 독염지주나 흑묘낭랑 또한 마찬가지였다.

그녀들은 옷소매와 우장이 거칠게 펄럭이는 소리를 꼬리처럼 매단 채 순식간에 육칠(六七) 리를 날아가, 본대가 머무는 얕은 구릉 위로 표표히 내려섰다.

얕은 구릉에는 수십 채의 막사(幕舍)가 원진(圓陣)의 형태로 세워져 있었다. 두 여인이 구릉 위에 당도하자 어둠 속에서 이십여 명의 무사들이 느닷없이 튀어나와 순식간에 그녀들을 포위했다.

"비켜라!"

독염지주 홍련이 살기등등한 목소리로 외쳤다. 그녀들을 알아본 무사들이 허리를 숙이는가 싶더니 이내 그들의 신형이 빗줄기와 함께 사라졌다.

홍련과 청련은 막사들을 거침없이 가로질러 중앙에 위치한, 북방흑제 현명군의 막사로 향했다.

막사 앞에 서 있던 세 명의 무사가 그녀들의 앞을 가로막았다. 이번에도 홍련은 거칠게 외쳤다.

"비켜라!"

그러나 막사의 무사들은 구릉 일대의 경비무사들과 달

랐다. 그들은 홍련의 호통에도 불구하고 여전히 앞을 가로막은 채 정중한 어조로 말했다.

"흑제께서는 취침 중이십니다."

"깨워라!"

홍련의 싸늘한 목소리에 더욱 살기가 짙어졌다. 하지만 무사들은 여전히 정중하기만 할 뿐이었다.

"무슨 용무이신지요?"

"네놈들이 알 것 없다! 얼른 비키지 않으면 내 매몰찬 손맛을 보게 될 것이야!"

"죄송합니다, 홍련 당주. 용무를 알 수 없으면 안으로 보내 드릴 수 없습니다."

"어디서 감히……!"

홍련이 격노하여 손을 번쩍 들었다. 무사들도 빠르게 병장기를 꼬나들었다.

그때였다.

"안으로 들라 하라."

막사 안에서 현명군의 목소리가 들려왔다. 막 잠에서 깬 듯 푹 가라앉아 있는 음성이었다.

홍련은 성난 눈으로 무사들을 노려보고는 "흥!" 하며 막사의 천을 걷고 안으로 들어갔다. 막사 중앙에는 모닥불이 타고 있었고, 현명군은 그 옆에 놓인 간이침상에 걸터앉아서 눈을 비비는 중이었다.

"무슨 일인가?"

현명군은 아직도 잠에서 덜 깬 목소리로 물었다. 홍련과 청련이 다급한 어조로 번갈아 말했다.

"우리 아이들이 모두 죽었습니다."

"십여 명 이상이 기습한 것 같아요. 아마도 살막의 소행이 아닌가 생각됩니다."

"살막?"

현명군의 피곤한 눈가에 서늘한 빛이 스며들었다.

"네. 근본을 알 수 없는 초식에다가 무자비하게 살해한 흔적을 보면 확실히 살막의 짓일 가능성이 큽니다."

"으음."

현명군은 입술을 깨물었다.

확실히 지금 이 황야에는 살막의 무리가 당도해 있었다. 어디 살막뿐인가, 어느 순간부터는 은자림의 살수들까지 나타나 강만리 일행을 노리는 중이었다.

"살막이 왜 우리를 노린 거지?"

현명군은 당황하고 분노한 와중에도 이성을 잃지 않았다. 그는 어쩌면 가장 기본적이면서 당연한 질문을 두 여인에게 던졌다.

"그걸 우리가 어찌 압니까? 당연히 놈들을 잡아 족쳐서 알아내야죠."

홍련은 분노한 채 그리 대답했다.

"우리가 강만리 일행과 동류(同流)라고 오해한 건 아닐까요?"

그나마 청련은 나름대로 그럴듯한 해답을 이야기했다.

"그게 아니라면 우리가 거치적거린다고 생각했을 수도 있겠고요. 한 번 목표로 삼은 사냥감은 반드시 자신들이 해치워야 직성이 풀리는 게 살막이니까요. 손도 대지 않고 코를 푼다고 해서, 우리가 강만리 일행을 해치우는 걸 가만히 앉아서 지켜볼 놈들이 아니잖아요?"

사실 그건 살막만의 특성이 아니었다.

강호 무림인 대부분은 기본적으로 어부지리를 달가워하지 않았다. 그들은 스스로 싸워 이기고 쟁취하는 것이야말로 진정한 무인이라고 여겼다.

어찌 보면 한없이 단순하고 불합리하며 외골수적인 사고방식이었지만 그건 어쩔 도리가 없었다. 애당초 강호인이라는 게 그런 사고방식 속에서 태어나고 성장하기 때문이다.

지나가다가 우연히 물 한 잔 얻어먹었던, 십여 년 전의 아주 사소한 은혜를 갚기 위해서 불원천리(不遠千里)를 마다하지 않고 달려와 도와주는 건 강호인들만이 할 수 있는 일이었다.

벗이 알고 지내는 사람의 외당숙의 사돈이 감당할 수 없는 적들과 싸우게 되었을 때, 목숨을 걸고 그 적과 맞서 싸우는 것이 바로 강호인들이었다.

강호인은 원한은 잊지 않으며 은혜는 목숨을 바쳐서라도 반드시 갚았다. 그들은 자존심과 명예를 목숨보다 중하게 여겼으며, 대의(大義)와 협의(俠義)를 위해서라면 자신의 목숨을 초개(草芥)처럼 여겼다.

그런 사고방식을 지녔으니, 당연히 누군가 자기 일에 함부로 끼어드는 걸 원치 않았다. 그게 비록 어부지리를 얻는 일이라 할지라도 마찬가지였다.

세상에 공짜는 없다. 이익을 얻으면 그에 합당한 대가를 치러야 한다. 어부지리로 얻은 이득은 결국 또 다른 누군가의 어부지리를 통해서 손해로 빠져나간다.

그러니 굳이 후환을, 빚을 남기지 않기 위해서라도 어부지리를 얻지 않는 게 속 편한 일이다.

그게 일반적인 강호인들의 사고방식이었다. 그리고 무림인이 여느 장사꾼이나 모사꾼과는 확연하게 다른 점이 바로 그것이기도 했다.

"흠, 모르겠군."

청련의 주장에도 불구하고 현명군은 여전히 뭔가 탐탁지 않은 듯한 얼굴이었다.

"아무리 천하의 독불장군인 살막이라 할지라도 최소한 상대가 누구인지 확인하고 손을 썼을 것이다. 그리고 우리가 누구인지 알았다면 과연 그렇게 함부로 살수를 펼쳤을까? 만약 우리의 정체를 알았다면 결코 그렇게 제멋대로 움직이지 못했을 거야."

"흥! 한갓 사마외도 축에도 끼지 못하는 살수 따위에게 그런 논리가 적용된다고 생각하십니까?"

"물론일세."

현명군은 홍련을 똑바로 바라보며 말했다.

"살수는 기본적으로 정보를 토대로 움직이는 자들일세. 사냥할 목표의 이름, 별호, 무공, 무위 등등을 확실하게 파악한 후 승산이 있을 때만 비로소 움직이는 게 저들의 습성이지. 물론 살막은 조금 예외일 수도 있겠지만, 어쨌든 아무나 함부로 죽이려 하지 않네. 특히 돈이 되지 않는 살인은 더더욱 질색인 그들이니까."

"그렇다면 살막이 아니라는 겁니까?"

청련의 물음에 현명군은 잠시 생각하다가 되물었다.

"확실히 십여 명의 인원이 기습을 펼친 건가? 발자국의 수는? 그 좁은 덤불 더미 안에 열다섯 명의 당원이 숨어 있었다고 했는데, 거기에 다시 십여 명이 기습을 펼쳤다면 그 덤불 더미가 그대로 남아 있을 리가 있을까?"

현명군의 쉴 새 없이 이어지는 질문에 청련은 물론 홍련도 입을 벌린 채 아무런 대꾸도 하지 못했다.

아닌 게 아니라 지금 현명군이 던진 질문들은 두 여인의 맹점(盲點)을 정확하게 꿰뚫고 있었다. 청련과 홍련은 미처 그 발자국의 수를 헤아리지 못했으며, 또한 좁은 덤불 더미가 무너지지 않고 고스란히 그 형태를 유지하고 있었다는 사실을 간과했다.

그녀들은 그저 수하들의 몸에, 주먹과 발길질, 칼과 검, 그리고 암기와 같은 무기에 의해 새겨진 상흔과 흉터를 보고서 대략 열 명 정도의 인원이 기습을 감행했다고 추측했을 뿐이었다.

또한 그녀들은 그 정도 인원의 대규모 기습이 아니라면 자신의 수하들이 그렇게 별다른 반항도 하지 못한 채 떼죽음을 당할 리 없다고 생각했던 것이다.

'설마…….'

청련과 홍련의 얼굴이 핼쑥해졌다. 그 표정의 변화를 지켜보던 현명군이 역시 제 생각이 맞았다는 듯 고개를 끄덕이며 천천히 입을 열었다.

"그렇군. 역시 내 생각대로구나. 적은 십여 명이 아니라 한둘, 많아도 셋을 넘지 않았을 것이다."

"그럴 리는 없습니다!"

홍련이 시뻘겋게 달아오른 얼굴로 소리쳤다.

"내 아이들이 불과 두어 명밖에 되지 않는 기습에 몰살당할 리가 없습니다!"

청련도 동의한다는 듯이 크게 고개를 끄덕이려다가 일순 멈칫거렸다. 문득 강만리 일행이 무적가주와 철목가주를 살해했을지도 모른다는 소문이 떠올랐기 때문이었다.

현명군은 가볍게 한숨을 내쉬며 입을 열었다.

"내가 왜 끝까지 다른 연합군을 기다려야 한다고 말했는지 아직도 모르는구나. 등활과 그의 당원들이 몰살당한 게 그저 실수나 우연적으로 발생한 일이라고 생각하는구나. 내가 왜 그깟 오십여 명밖에 되지 않는 자들을 섬멸하기 위해 북방군의 전 병력을 동원하려 했는지도 모르고 있구나."

"그, 그건……."

"그만큼 그들이 강하기 때문이다."

"믿을 수 없습니다."

홍련이 단호하게 말했다.

"아무리 그들이 강하다 한들 우리 북방군 전력을 상대할 수 있을 정도로 강할 리가 없습니다."

"불과 두어 명으로 자네와 청련의 수하들을 모두 해치웠는데도?"

"그건 어디까지나 군주(軍主)의 추측이 아니십니까?"

홍련이 발끈하여 말했다.

"암습자의 수가 십여 명이라는 게 내 추측이라면 두어 명은 어디까지나 군추의 추측입니다. 제대로 조사를 하지 않은 이상에는……."

"이런……."

현명군이 다시 한숨을 내쉬었다.

"따로 조사할 필요가 없을 것이다."

"왜죠? 누가 내 수하들을 몰살시켰는지 제대로 알아야 복수를 할 수 있잖아요?"

"그건 말이다."

현명군은 말과 동시에 막사 뒤쪽으로 손을 뻗었다.

"놈이 예까지 왔으니까!"

파앗!

공기를 찢어발기는 듯한 파공성과 함께 그의 손가락에서 새파란 지풍(指風)이 일직선으로 뻗어 나갔다. 동시에 천막에 구멍이 나며 크게 출렁거렸다.

"어딜 도망치려는 게냐!"

현명군은 곧바로 지면을 박차고 천막을 찢으며 밖으로 나섰다. 청련과 홍련이 질세라 몸을 날려 천막을 빠져나왔다.

쏴아아!

여전히 사위는 칠흑처럼 어두웠고, 장대비는 천하를 뒤집어삼킬 것처럼 쏟아지고 있었다.

현명군은 구릉 위에 우뚝 선 채 밤하늘 저편을 올려다보았다. 청련이 다급한 표정으로 물었다.

"누굽니까?"

"자네들의 수하들을 몰살시킨 자."

현명군은 샛노랗게 번들거리는 눈빛으로 밤하늘을 노려보면서 말했다.

“그리고 자네들의 뒤를 밟아 예까지 몰래 다가온 자.”

청련이 저도 모르게 몸을 부르르 떨었다.

전혀 몰랐다. 조금도 눈치채지 못했다.

덤불 더미에서 마냥 울부짖고 있던 그녀를 누군가가 훔쳐보고 있었다. 바로 근처 어딘가에 몸을 숨긴 채 그녀가 발광하고, 또 홍련이 날뛰는 모습을 가만히 지켜보던 자가 있었다.

그녀들이 이곳으로 달려오는 동안에도 누군가가 그 뒤를 쫓고 있었다. 그리고 막사 안에서 현명군과 대화를 나누는 동안에도 그들은 몰래 그 대화를 엿듣고 있었다.

하지만 그녀는 전혀 몰랐다. 그의, 혹은 그들의 호흡과 체온과 기척을 조금도 알아차리지 못했다.

그건 다시 말해서, 그들이 원했다면 그녀 역시 제 수하들처럼 속절없이 목숨을 잃었을 수도 있었다는 뜻이었다. 즉, 그녀를 살려 둔 건 바로 이곳, 현명군과 북방군의 본진 위치를 알고자 했기 때문이었다.

그게 청련이 몸을 부르르 떤 이유였다. 그리고 그건 홍련도 마찬가지였다. 그녀 역시 청련처럼, 현명군과는 다르게 그자의 존재를 전혀 인식하지 못하고 있었으니까.

“우리도 모르게…….”

중얼거리는 홍련의 목소리가 파들파들 떨리고 있었다.

"꼬리를 달고 왔다는 겐가? 감히 우리도 모르게……."

현명군, 세 사람 중 유일하게 침입자의 존재를 파악했던 현명군은 거세게 쏟아지는 폭우 저편을 잠시 노려보다가 이윽고 천천히 몸을 돌려 막사 안으로 돌아갔다.

세찬 비바람이 불어닥쳤다. 찢어진 천막이 요란한 소리를 내며 펄럭였다.

쏴아아아!

쉬지 않고 퍼붓는 장대비 저편으로 어디선가 귀곡성(鬼哭聲)이 들려오는 것만 같았다.

2장.

우리는 서로 다 누군가의 살수(殺手)다

"나이가 들었다는 건 고서방(古書坊)과 같은 게다.
그 안에 온갖 잡다한 지식이 다 있으니까.
뭐, 대부분 너무 오래되어서 쓸모가 없거나
이제는 쓸데조차 없게 된 지식이기는 하지만."

1. 청광(青光) 지풍의 흔적

휘이이잉!

덤불숲을 뚫고 들려오는 세찬 비바람 소리는 마치 원한을 품고 죽은 귀신의 울음처럼 온몸에 소름을 돋게 했다.

담호는 한쪽 구석에 잠든 듯 누운 채로 어른들의 대화를 가만히 엿듣고 있었다.

"뭔가 기척이 있는 것 같아서 천조감응진력으로 살폈더니 아니나 달라? 서너 명의 인물들이 우리 덤불숲을 감시하고 있더라고."

강만리는 어떻게 해서 은자림의 살수들을 만나게 되었는지 다른 형제들에게 설명하는 중이었다.

"한꺼번에 해치울까 하다가 그들이 척후조일 것 같다는 생각이 들어서 가만히 기다렸지. 놈들이 움직일 때까지 말이야. 반 시진가량 흘렀을까. 역시 놈들이 돌아가더군. 그 뒤를 밟아 오(五) 마장(馬場:약 400m) 정도 따라갔을까, 놈들의 무리가 숨어 있는 덤불이 나오더군."

강만리는 그 덤불 뒤편에 몸을 숨긴 채 천조감응진력을 한껏 끌어올려 덤불 안에서 들려오는 대화를 엿들었다.

그리고 얼마 지나지 않아서 그들이 은자삼십육귀라는 것과 또한 태백현인이라는 인물을 기다리고 있는 중이라는 사실을 알아냈다.

"처음에는 거기에서 더 기다리다가 태백현인이라는 자까지 한꺼번에 해치울까 생각하기도 했지."

"허어, 이래서 천둥벌거숭이가 무섭다고 하는 게야."

만해거사가 빈 곰방대를 빨며 한숨을 쉬었다.

"태백현인은 물론 그 은자삼십육귀만 하더라도 자네 혼자서 상대할 수 없었을 걸세."

"글쎄요."

강만리는 고개를 갸우뚱거리며 말했다.

"겉으로 풍기는 기도와 무위는 그렇게 강하게 느껴지지 않던데요."

"그건 살수라는 자들이 다 그런 법이니까."

만해거사는 차분하게 말을 이었다.

"사실 살수, 자객의 무공은 일반적인 무인들보다 낮을 수밖에 없지. 애당초 그들의 무공은 암살에 특화되어 있으니까 말일세. 그렇다고 그들을 경시했다가는 그야말로 상대의 칼날 앞에 제 목을 들이대는 꼴과 다를 바가 없는 일이네. 그들은 설령 자신보다 열 배 이상 강한 무공을 소유한 고수라 할지라도 대수롭지 않게 살해할 수 있으니까 말이지."

"열 배 이상 강한 고수를요?"

"그렇다네. 그리고 그게 바로 살수들의 진정한 힘이자 위력인 게야."

만해거사는 곧 과거에 있었던 몇 가지 전설적인 살수들의 살수행(殺手行)에 대해서 이야기했다.

무림사(武林史)에 과문(寡聞)한 강만리는 물론, 모닥불 주변에 둘러앉은 사람들 대부분 흥미로운 표정을 지은 채 만해거사의 이야기에 귀를 기울였다.

특히 수백 년 전, 내공을 모두 잃은 한 살수가 당시 천하제일의 고수라 불리던 자를완벽하게 해치운 이야기는 사람들에게 상당히 큰 감명을 주기도 했다.

"사실 그렇게까지 먼 곳에서 찾을 것도 없네. 그 열 배 이상의 실력을 지닌 고수를 상대로 해치운 전력이 있는 당사자가 바로 저기 있으니까."

만해거사는 그렇게 말하며 힐끗 나찰염요를 돌아보았

다. 나찰염요는 마침 잠투정을 부리던 보보를 안은 채 주변을 왔다 갔다 하던 참이었다.

그녀는 사람들의 시선이 자신에게로 쏠리자 살짝 난감한 표정을 지으며 아무 말 없이 고개만 끄덕였다. 만해거사의 말대로 확실히 그런 전력이 있다는 의미의 끄덕임이었다.

'그렇지. 형수는 원래 예전 정파의 살수조직이라 할 수 있는 사선행자 출신이었으니까.'

정사대전 당시 사마외도의 무리에게 밀리던 정파 무림측에서 사활을 걸고 키워 냈던 사선행자는 확실히 살수와 다를 바가 없었다. 사선행자의 주된 임무 자체가 바로 거마효웅을 암살하는 일이었으니까.

"그러니 만약 자네가 저들의 무위를 경시하고 뛰어들었더라면…… 아마도 지금처럼 성한 상태로 돌아오지 못했을 것이네. 어쨌든 상대는 은자삼십육귀였으니까 말이네."

은자삼십육귀는 은자림을 대표하는 최고의 살수들이었다. 그들은 심지어 구파일방의 장문인이나 오대가문의 가주, 신주오대세가의 주인들까지 암살할 수 있다고 했다.

만해거사의 말에 잠시 생각하던 강만리는 여전히 승복할 수 없다는 표정을 지으며 입을 열었다.

"그렇다면 애당초 우리 무림오적을 키우는 것보다 그들을 동원하여 오대가문의 가주를 암살하는 게 훨씬 더 빠르지 않았을까요. 황계 측에서 보자면 말이죠."

"흐음, 그건 하나만 알고 둘은 모르는 소릴세."

만해거사의 말에 강만리는 입을 벌렸다.

하나만 알고 둘은 모른다니, 그건 어린 포쾌 시절 학여춘에게서 들은 이후 맹세코 처음 들어 보는 말이었다.

당연한 일이었다. 사천 일대에 그 명성 자자한 명포두에게 감히 누가 그리 말할 수가 있었겠는가.

만해거사는 거침없이 말을 이어 나갔다.

"우선 의뢰비만 하더라도 수십만, 수백만 금이 들 게 당연한 일이고 무엇보다 은자림에서 그 의뢰를 받아 줄 리가 없네."

"왜죠?"

"그야 당연하잖은가? 가주 한 명 죽이는 대가로 자신의 모든 조직과 조직원들이 송두리째 소멸될 테니까."

"으음."

"오대가문이나 구파일방, 신주오대세가들이 왜 그리 무서운 줄 아나? 가주가 강해서? 가신들이 뛰어나서? 장로들의 무공이 높아서? 아니네. 그들의 진정한 힘과 위력은 그 수백 년 역사를 이어 오면서 배출한 수많은 인재와 방대한 인맥(人脈), 그리고 무림 전체를 아우르는 인연(因緣), 관계(關係)에 있다네."

역시 무림의 전반적인 상황에 일천(日淺)한 강만리는 좁쌀처럼 조그만 눈을 끔뻑이며 만해거사의 말에 집중했다.

"만약 은자림이 돈에 눈이 어두워져서 소림사의 장문인을 암살했다고 하세. 하지만 장문인이 죽으면 그걸로 끝날 것 같은가? 설마 소림사의 중들만 미쳐 날뛰며 복수하려 할까? 아니지. 장문인이 암살당한 순간부터 은자림은 무림의 모든 문회방파, 강호인, 심지어 관부(官府)와 조정(朝廷)까지 적으로 돌리게 되는 것이네."

대부분의 명문 정파는 일반 제자와 함께 속가제자(俗家弟子)를 둔다. 속가제자는 정식으로 입문하여 제자의 계(戒)를 받고 의발(衣鉢)을 전해 받지는 못하지만, 문파 무공의 일부를 이어받고 문파와 스승의 이름을 말할 수 있으며 문파의 항렬(行列)까지 배분받을 수가 있었다. 물론 그런 속가제자가 되기 위해서는 상당히 많은 돈을 후원금 조로 내야 했지만.

어쨌든 그렇게 속가제자가 된 이들은 이후 강호의 곳곳에서 터를 잡고 일하게 된다. 무관(武館)을 차려 무술 사범이 되기도 하고 표국(鏢局)의 일원이 되거나 아예 표국을 이어받거나, 혹은 정관계(政官界)로 진출하거나 혹은 상가(商家) 사람이 되거나, 고관대작의 호위를 맡거나.

그렇게 수십 년이 흐르고 수백 년의 역사가 쌓이면서 강호는 물론 대륙 전역에 소림사의 속가제자가 없는 곳이 없게 된다. 한두 사람만 건너면 모두가 소림사의 형제들이었고 선후배가 되었다. 그렇게 쌓이고 쌓인 인맥들이 진정한 소림사의 힘이 되어 주었다.

어디 그뿐인가. 소림사와 인연이나 관계가 있고, 소림사에 은혜를 입은 이들 역시 발 벗고 나설 게 분명했다. 옆집 사람이 키우던 강아지의 복수를 하기 위해 제 목숨을 거는 무림인들이, 소림사 장문인의 죽음을 두고 복수하지 않을 리가 없었다.

결국 은자림은 말 그대로 사면초가가 되어 한없이 쫓기고 도망치다가 결국 소멸될 수밖에 없었다.

그렇기 때문에 비록 가능하다고는 하지만, 절대로 소림사 장문인을 암살하는 따위의 일은 발생하지 않았다. 그건 은자림뿐만 아니라 대자객교나 살막 모두 마찬가지였다.

"흠, 이제 대충 알겠습니다."

강만리는 고개를 끄덕이며 말했다.

"그러니까 황계는 자신들이 직접 나서면 반드시 몰살당할 게 분명하니까, 아예 자신들과는 전혀 관련이 없는 우리들 다섯 명을 살수로 키워 낸 거로군요. 오대가문의 가주를 암살하기 위한 용도로 말이죠."

"그럴 걸세."
만해거사는 빈 곰방대를 내려놓으며 말했다.
"하지만 생각보다 훨씬 더 자네들의 능력이 뛰어나고 무위가 높아져서, 이제는 오대가문의 가주가 아니라 오대가문 전체와 싸울 정도가 된 게지. 아마도 황계는 거기까지 생각하지 못했을 테고, 또 그래서 향후 준비해 두었던 계획을 수정하고 있을 것이네."
"아뇨. 어쩌면 십삼매는 거기까지 다 생각해 두었을지 모릅니다. 사실 제 잔머리 대부분 십삼매를 보고 겪으면서 터득한 거니까요. 그녀라면 당연히 이런 상황까지 가정해 두었을 겁니다."
"이렇게 우리가 은자림과 건곤가 무리에게 포위당하는 것까지?"
"네. 어쩌면 그래서 지금 이곳 유주로 사람들을 보냈을지도 모릅니다. 우리가 도망치든 무엇을 하든, 어쨌든 그녀에게 있어서 우리는 반드시 필요한 사냥개들이니까요."
강만리가 그렇게 자조적으로 말을 맺을 때였다.
"흠. 사냥개라니, 마음에 들지 않는군."
문득 동굴 밖에서 묵직한 목소리가 들리는가 싶더니 이내 담우천이 불쑥 안으로 들어왔다.
"담 형님!"

화군악이 기뻐하며 소리치다가 문득 자신을 노려보는 사람들의 매서운 눈빛에 황급히 입을 다물었다.

하지만 때는 이미 늦었다. 잠투정하다가 겨우 잠들었던 보보가 화군악의 소리에 깜짝 놀라 깨어나며 울음을 터뜨렸던 것이다.

나찰염요가 서둘러 보보를 안아 얼렀다. 보보뿐만 아니라 담정이나 화소군까지 깨어나 울기 시작한다면 그야말로 난장판이 되는 게다.

천만다행으로 보보는 다시 빠르게 잠들었다. 불안하고 초조한 얼굴로 그 모습을 지켜보던 화군악이 그제야 안도의 한숨을 길게 내쉬었다.

강만리가 그를 노려보며 이를 갈 듯 말했다.

"왜 다들 이렇게 소리 낮춰 이야기하고 있는데?"

"죄송합니다, 형님."

화군악이 멋쩍게 웃으며 사과했다. 그러는 동안 모닥불가에 앉은 담우천이 가죽 부대에 담겨 있던 찻물을 벌컥벌컥 들이켜고는 한숨을 돌렸다.

"어찌 되었습니까?"

담우천과 헤어져 먼저 이곳 덤불숲으로 되돌아왔던 장예추가 조심스레 묻자, 담우천은 가죽 부대를 내려놓으며 입을 열었다.

"이곳에서 약 칠팔 리 밖의 구릉에 놈들의 야영지가 있더군. 대략 수는 칠십여 명 정도, 거기에 이십십 명 정도 더 합류할 수 있는 것 같고."

"흐음, 그 정도면 충분히 이길 수 있을 것 같군요."

강만리의 중얼거림에 담우천이 토를 달 듯 말했다.

"그리고 다른 오대가문의 연합군이 곧 당도하는 모양이다. 몇몇 당주가 그들을 마중 나간 것 같더군."

일순 강만리를 비롯한 사람들, 심지어 잠든 척하고서 계속 귀를 기울이고 있던 이들까지 모두 깜짝 놀랐다.

"오대가문의 연합군이요? 언제요?"

"글쎄. 더 엿들으려 했지만 의외로 흑제라는 자의 귀가 밝더라. 하마터면 손목에 구멍이 날 뻔했다."

담우천은 소매를 들어 보였다. 소맷자락 밑단에 뻥 뚫려 있는 구멍. 그것은 바로 북방흑제 현명군이 발출했던 청광(靑光) 지풍의 흔적이었다.

2. 심열성복(心悅誠服)

그 구멍 뚫린 소맷자락을 본 사람들의 얼굴이 심상치 않게 굳어졌다.

다른 누구도 아닌 담우천이었다. 무림오적 다섯 명 중에서도 가장 강한, 어쩌면 무림에서도 가장 강할지 모르는 그가 하마터면 큰 중상을 입을 뻔한 것이다.

현명군이라는 자, 생각보다 훨씬 고강한 고수였던 게다.

"하기야…… 구천십지백사백마를 휘하로 둘 정도라면 그 정도 능력은 지니고 있어야 하겠지."

만해거사가 고개를 끄덕이며 중얼거렸다.

"어쨌든 구천십지백사백마는 힘을 숭상하고 무위를 추구하는 자들이니까. 만약 현명군이라는 자가 자신들보다 능력이 부족하고 무력이 약했다면 절대 심열성복(心悅誠服)할 리가 없을 게야."

화군악이 살짝 떨떠름한 표정을 지으며 물었다.

"심열…… 그게 뭡니까?"

"뭐기는 뭐겠는가? 혹시 심복(心服)이라는 말은 들어봤겠지?"

"물론입니다. 설마 제가 심복을 모르겠습니까? 절 무시해도 너무 무시하는 거 아닙니까?"

"그래. 심복의 본래 말이네, 심열성복이라는 단어는. 마음속으로 기뻐하며 성심껏 순종한다는 뜻이지."

문득 만해거사가 농담조로 말을 이었다.

"마치 자네가 나를 대하는 것처럼 말이네."

"그럼 그냥 심복이라 말씀하시지, 굳이 심열성복 운운하셔서 사람을 어리둥절하게 만드시는 겁니까? 정말 아는 게 많아서 좋겠습니다."

화군악이 입을 삐죽이자 만해거사는 소리 낮춰 웃으며 말했다.

"원래 노인들이 다 그런 법이지. 너무 괘념치 말게나."

그렇게 웃던 만해거사는 문득 자조적인 표정으로 말을 이어 나갔다.

"나이가 들었다는 건 고서방(古書坊)과 같은 게다. 그 안에 온갖 잡다한 지식이 다 있으니까. 뭐, 대부분 너무 오래되어서 쓸모가 없거나 이제는 쓸데조차 없게 된 지식이기는 하지만."

나이를 먹으면서, 시간을 켜켜이 쌓아 올리면서, 보고 듣고 배운 모든 것들은 기억이라는 저장고에 차곡차곡 쌓이게 된다.

그 저장고 안에는 온갖 잡다한 상식과 지식, 경험 등이 들어 있어서 적절할 때에 꺼내 사용할 수가 있었다. 그걸 두고 사람들은 노회한 경륜이라고 말하기도 했다.

하지만 세월이 흐르면서 모든 게 변하기 마련인 법이다. 사오십 년 전에는 절대적이고 보편적이라고 여겨졌던 상식이나 가치관 같은 것들이, 이제는 그저 늙어 이가 빠진 노인네들의 투정과 오지랖과 아집(我執)의 산물(產物)로 변했다.

너무 오래된 지식과 상식은 더는 쓸모가 없어졌고 노회

한 경륜과 경험들은 쓸데가 없어졌다.

존중받지 못하는 지혜는 지혜가 아니었다. 인정받지 못하는 지식과 상식은 쓰레기와 다를 바가 없었다.

지금처럼 화군악이 굳이 심열성복 운운하느니 심복이라는 말이 훨씬 더 편하고 알아듣기 쉽다면서 만해거사의 오래된 지식을 무시하는 것처럼.

만해거사의 그 짧은 넋두리에는 바로 그런 의미의 깊은 속내가 담겨 있었다.

그러나 화군악은 전혀 눈치채지 못한 채 어깨를 으쓱거리며 이죽거리듯 말했다.

"그렇죠. 너무 오래되어 낡을 대로 낡은 책들은 고서방의 자리만 차지할 뿐이라고요. 미련 갖지 말고 싹 다 내버려야 한다니까요."

"허허, 그렇겠지?"

만해거사의 미소가 왠지 씁쓸하게 느껴질 때였다. 강만리가 헛기침을 하며 화제를 돌렸다.

"혹시 현명군이라는 자, 누구인지 알아내셨습니까?"

그의 질문을 받은 담우천은 천천히 고개를 저었다.

"목소리만 들었을 뿐이네. 그가 누구인지 유일하게 추측할 단서는 청광(靑光)의 지풍뿐인데…… 청광이야 그리 특별할 게 없으니."

체내의 내공을 체외로 구현할 때 그 시전자가 어떤 심

법을 익히고 어떠한 심공을 사용하느냐에 따라서 그 내공은 대략 세 가지 빛으로 발현된다.

가장 많이 발현하는 게 백광(白光)이었으며, 그에 버금갈 정도로 많은 게 청광이었다. 그리고 혈광(血光)이라 불리는 붉은빛이 세 번째였는데, 금광(金光)이나 투명한 강기 같은 경우에는 상당히 희귀한 경우에 속했다.

가령 구파일방 중에서 청성파(靑城派), 아미파(峨嵋派) 등의 문파에서 펼치는 무공에는 은은한 푸른빛이 감돈다. 소림사나 무당파의 경우에는 너무나도 새하얘서 눈이 부실 정도의 백광이 발출한다.

하지만 또 그게 전부가 아닌 것이, 무당파의 검법 중에는 청성파의 그것처럼 은은하게 푸른빛의 검기를 발출하는 검법도 존재했다.

즉, 그저 검기나 강기의 빛깔만으로 그 문파나 무공의 종류를 알아내는 건 거의 불가능한 일이었다.

"어쨌든 타초경사의 우를 범한 것 같네. 내 기척이 들통나지 않았어야 하는 건데."

담우천의 말에 강만리가 고개를 흔들었다.

"아닙니다. 외려 그 덕분에 우리가 움직일 시간을 번 것 같습니다."

"음? 저들이 잔뜩 경각심을 가지고 있을 텐데?"

"그러니까요."

강만리는 힐끗 동굴 밖을 쳐다보았다. 폭우가 여전히 쉴 새 없이 거칠게 휘몰아치고 있는 가운데, 어느덧 날이 밝아 오고 있었다.

전혀 앞이 보이지 않던 암흑이 물러나면서 그나마 어둠 속에서 모든 사물이 조금씩 그 경계선을 드러내고 있었다.

"지금 우리를 노리는 무리는 모두 세 부류입니다. 짐작컨대 살막, 은자림, 그리고 건곤가의 흑제라는 자들이죠. 만약 그들이 동시다발적으로 우리를 기습한다면, 그때는 진짜 큰 낭패를 봤을 겁니다. 하지만 다행히도 저들이 서로의 존재를 인식하고 경계하게 되면서 쉽사리 움직이지 않게 된 거죠. 그리고 덕분에 날이 밝아 오고요."

"흠, 그것과 내가 범한 실수와 무슨 상관이지?"

"그건 그 흑제라는 자가 더욱더 쉽게 움직이지 못하게 되었기 때문입니다. 아마 그자는 형님이 누구에게도 들키지 않은 채 자신의 막사 바로 앞까지 침입했다는 사실에 모골이 송연했을 것입니다. 동시에 우리와 싸우는 게 생각보다 훨씬 더 위험한 일이라는 생각도 했을 테고요. 그런 연유로 혼자 움직이는 것보다 여럿이, 즉 기다리고 있는 연합군과 함께 싸우는 게 낫다고 계획을 변경했을 가능성이 큽니다."

거기까지 단숨에 말한 강만리는 잠시 숨을 돌리기 위해

말을 멈추고 찻물을 들이켰다.

잠든 척 누워 있던 담호의 귀가 쫑긋거렸다. 그 뒷이야기가 궁금해서 견딜 수가 없었다.

그때 누군가 담호의 곁으로 살금살금 기어 오는 기척이 느껴졌다. 담호의 몸이 움찔거리는 순간, 부드럽고 봉긋한 무언가가 그의 등에 와 닿았다.

담호의 몸이 경직되었다. 동시에 초목아가 낮은 목소리로 소곤거렸다. 달콤하고 향긋한 숨결이 그의 뒷덜미를 간질였다.

"역시 그 세 부류의 적들끼리 서로 싸우게 만드실 생각이겠지?"

그녀의 따듯한 숨결과 등에 와닿은 봉긋한 가슴, 그리고 자신의 궁둥이에 닿을락 말락 느껴지는 그녀의 부드럽고 탱탱한 허벅지의 감촉에 담호는 정신을 차릴 수가 없었다. 온몸이 뻣뻣해지고 특히 아랫도리가 한없이 굵고 단단해졌다.

초목아는 그런 담호의 변화를 전혀 알아차리지 못했다. 그저 자신의 목소리가 담호에게 들리지 않는다고 여겼는지, 그녀는 더욱 그에게 가까이 몸을 가져다 대며 소곤거렸다.

"역시 그 세 부류의 적들끼리 서로 싸우게 만드실 계획인 거지, 네 강 숙부는?"

담호는 마치 벌거벗고 있는 듯한 기분이었다. 자신의 벌거벗은 몸 뒤로 초목아 역시 벌거벗은 채 찰싹 달라붙은 듯한 느낌이었다.

하지만 실상은 서로의 몸이 그저 닿을락 말락 겨우 그 정도의 접착에 불과했을 뿐이었다. 담호는 애써 정신을 똑바로 차리고 입을 열었다.

"그렇겠지."

"그치? 그런데 어떤 방법으로?"

"그건 나도 잘 모르겠어. 곧 말씀하시겠지."

"그래? 근데 어디 아파? 목소리가 조금 이상하다?"

"아니, 괜찮은데."

"괜찮다고 하기에는 네 몸에 열이 많이 나는데? 나까지 후끈거릴 정도야."

"그러니까 조금 뒤로 물러나 주면 안 될까?"

"정말 괜찮아?"

"응. 그러니까 조금만 뒤로 물러나 줘."

"그렇게 더워? 칫. 알았다, 뭐."

초목아는 투덜거리며 뒤로 물러났다. 담호가 겨우 안도의 한숨을 내쉴 때였다. 찻물을 마시며 갈증을 달래던 강만리가 다시 천천히 입을 열었다.

"그렇게 흑제 일당이 머뭇거리는 지금이 바로 기회인 거죠. 제대로 계획만 잘 세우면, 은자림이 흑제를 치고 흑제가 살막을 치고 살막이 다시 은자림을 치게 만들 수가 있으니까요. 그렇게 세 마리의 뱀이 서로 꼬리를 물고 잡아먹게 만드는 겁니다."

"으음. 그래서 사상함미라 했던 거로구먼."

만해거사는 그렇게 중얼거리다가 일순 고개를 갸우뚱하며 강만리에게 질문을 건넸다.

"그런데 어떻게?"

강만리는 음흉하게 웃으며 말했다.

"그야 이이제이(以夷制夷), 이독제독(以毒制毒)의 수법이죠. 식상하지만 그래도 당하는 쪽에서는 쉽게 정신을 차리지 못하는 계략이니까요."

그렇게 말한 강만리는 이내 진지한 표정을 지으며 담우천과 장예추에게 말했다.

"형님과 예추는 최대한 흑제 일당인 것처럼 위장하여 은자림의 살수들을 암살하는 겁니다. 은자림의 화를 돋워서, 그들이 반드시 흑제 무리를 공격하게 말입니다."

담우천은 깊게 생각하지도 않고 대답했다.

"그렇게 해 보지."

"알겠습니다."

장예추도 망설임 없이 고개를 끄덕였다. 강만리는 그럴 줄 알았다는 표정을 지으며 화군악과 정유를 돌아보았다.

"두 사람은 살막의 살수로 위장하여 흑제 일당을 공격하는 거야. 안 그래도 담 형님에게 수하를 모두 잃은 흑묘낭랑과 독염지주가 살막을 의심하는 중이라고 했으니까. 물론 흑제는 그렇게까지 어리석지 않겠지만, 계속해서 자네들이 흔적을 남기면 그도 어쩔 도리 없이 살막을 치게 될 거다."

화군악이 가볍게 눈살을 찌푸리며 물었다.

"어떻게요?"

강만리도 눈살을 찌푸리며 대꾸했다.

"그 정도는 네가 알아서 좀 해 봐라. 너는 그게 문제라니까. 나보다도 영악하고 교활한 계략에 능통하면서도 무조건 내게 맡기려고만 하는 게 말이다."

"형님이 말해 주면 간단하지만 내가 생각하면 골치가 아프니까요."

"됐다. 가끔은 골치 좀 아파도 된다, 너는."

강만리는 손사래를 치며 만해거사를 돌아보았다.

"만해 사부는 저와 함께 은자림의 살수로 분장하여 살막의 살수를 암살하는 겁니다. 죄송하지만 아무래도 사부께서 그 태백현인 흉내를 내셔야겠습니다."

"허허, 그 정도도 하지 못할까?"

만해거사는 턱수염을 매만지며 득도한 도사 같은 표정을 지었다.

양위가 안절부절못하며 입을 열었다.

"저는 뭘 할까요?"

"양 당주는 벽린과 함께 이곳의 방어를 책임져 주게. 또 한편으로는 우리의 연락이 끊어지지 않도록 조정 역할도 잘 해 주고."

"알겠습니다."

양위가 힘차게 고개를 끄덕였다. 설벽린은 입을 삐죽일 뿐 아무런 말도 하지 않았다.

"그럼 또 다른 질문은 없죠?"

모닥불에 둘러앉아 있던 이들 모두 고개를 젓자 강만리가 다시 입을 열었다.

"좋습니다. 지금 바로 움직이죠. 날이 개기 전에 충분한 소득을 올려 둬야 하니까요."

"좋네."

"좋습니다."

사람들은 자리에서 일어나 각자 약속된 대로 패를 갈라 밖으로 나갔다. 순식간에 덤불숲 공간이 조용해졌다.

모닥불에는 양위와 설벽린만이 앉아 있었다.

"그럼 저도……."

양위는 주변 경계 상황을 살피기 위해서 밖으로 나갔다. 이제 모닥불에는 설벽린 혼자 남게 있었다.

"에혀……."

설벽린은 가볍게 한숨을 내쉬었다.

그때였다. 잠든 척 엿듣고 있던 사람 중 누군가가 얕은 한숨을 내쉬는 것 같았다.

한숨을 쉬던 설벽린이 그 한숨을 듣고 고개를 돌렸다. 그 한숨의 주인을 찾아낸 그는 씨익 웃으며 말했다.

"아직도 자지 않고 있었구나."

한숨을 들킨 당사자, 담호가 머쓱한 표정을 지으며 일어나 앉았다.

"네, 설 숙부. 죄송합니다."

"죄송하기는. 아직 잠이 오지 않으면 이리로 오거라. 나도 심심하니까 말이다."

"네, 설 숙부."

담호는 자리에서 일어나 모닥불에 다가가 앉았다. 설벽린이 그런 담호를 바라보며 물었다.

"그런데 왜 한숨을 쉰 게냐?"

담호가 머뭇거리다가 대답했다.

"제가 제대로 도움이 되지 않는 것 같아서요."

"오호. 너도 저 암살자 무리에 끼고 싶었던 거였어?"

"꼭 그건 아니더라도……."

"하하하."

설벽린은 낮게 웃으며 담호의 머리를 쓰다듬었다.

"너무 초조해하지 말거라. 네 실력을 발휘할 때가 곧

올 테니까."

그렇게 담호를 위로한 설벽린은 이내 고개를 갸우뚱거리며 홀로 중얼거렸다.

"음? 네가 실력을 발휘할 정도의 순간이라면 제법 상당한 위기 상황일지도……."

홀로 상념에 젖어 있던 차라 미처 그 중얼거림을 듣지 못한 담호가 불쑥 입을 열었다.

"그런데 말입니다……."

"응. 말해 보거라."

"우리의 암살이 과연 저들의 이목을 속일 수 있을까요? 일반적으로 살수의 살행은 우리 무인들과 사뭇 다를 텐데 말입니다."

"굳이 그렇게 나눌 것도 없단다."

설벽린은 미소를 지으며 말했다.

"살수의 행동이라고 하더라도 사실 그리 특별할 게 없으니까. 숨어서 기회를 노리다가 틈이 생기면 바로 칼을 쑤시는 게 살수들이니까 말이지."

"그런가요?"

"살수가 무슨 뜻이더냐? 사람을 죽이는 사람이 곧 살수인 게다. 너나 나나 무림에 몸을 담고 있는 이상, 우리는 서로 다 누군가의 살수인 게지. 뭐, 자신의 생명이 다할 때까지 단 한 명도 죽이지 않는다면야 이야기가 달라지겠지만."

설벽린이 아무렇지 않게 떠벌리는 말이었지만, 그게 담호에게는 큰 충격으로 다가왔다. 특히 우리는 서로 다 누군가의 살수는 말은 마치 금언(金言)처럼 그의 가슴에 깊이 각인되었다.

그랬다. 칼을 든 이상, 우리 모두 누군가의 살수로 기억될 것이다. 그게 칼을 쥔 자의 숙명인 것이고, 또한 무림인이고 강호인인 게다.

3. 모든 게 계획대로입니다

쏴아아!

굵은 장대비는 쉬지 않고 쏟아졌다.

반면 새벽이 가까워지면서 영원할 것만 같았던 암흑은 천천히 밀려나고 있었다.

주변 사물의 윤곽이 흐릿하게 드러나면서 천하의 경계가 온전하게 드러났고, 그 하늘과 땅을 거침없이 가르며 쏟아지는 동아줄 같은 빗줄기는 더욱더 뚜렷하게 강렬하게 시야로 파고들었다.

담호는 동굴 입구까지 나가서 무심한 눈빛으로 그 장엄한 대자연의 풍광을 물끄러미 바라보았다.

아직도 기억이 선명했다.

엄마와 아빠는 그가 무공을 배우는 것을 두고 자주 말다툼을 벌였다.

아빠는 굳이 무공을 배울 필요가 없다고 주장했다. 매일같이 산을 타고 나무를 베고 헤엄치다 보면 칼이나 검이 아니더라도 제 몸 하나 정도는 지킬 수 있는 체력과 힘이 생긴다고 했다.

엄마는 생각이 달랐다. 사람이 살다 보면 언제 어떤 식으로 위험과 마주칠지 모른다고 말했다. 사람은 물론 멧돼지나 호랑이, 곰을 만날지도 모른다면서, 최소한 그런 맹수들 앞에서 자신을 지킬 정도의 무공은 익혀야 한다고 아빠를 설득했다.

그리고 아빠의 반대에도 불구하고 엄마는 그에게 기본적인 무공을 가르쳐 주었다.

왜 아빠는 반대했을까.

어린 시절의 담호는 전혀 이해하지 못했다. 납치당한 엄마를 구하기 위해 아빠를 따라다니는 동안, 그는 아빠가 얼마나 대단한 고수인지 알게 되었다.

그런 고수가 자신의 아들에게 굳이 무공을 가르치려 하지 않은 이유는 무엇이었을까.

담호는 조금 전 설벽린의 이야기 속에서 그 해답을 찾은 것 같았다.

어쩌면 그의 아빠는 담호가 사람을 죽이는 걸 원치 않았을지도 몰랐다. 본인이 그동안 너무 많은 사람을 죽였기에, 또 지금도 죽이고 있으며 앞으로도 죽일 것이기에 아들에게까지는 그런 살인(殺人)의 감정을 느끼게 하고 싶지 않았을지도 모른다.

그런 아빠의 심경에 변화가 생긴 건 그들이 성도부 화평장에 온 이후부터였다.

쉬지 않고 무공을 익히고 수련하는 담호의 모습을 보면서, 하루가 다르게 일취월장하는 아들의 무위를 보면서, 다른 의형제들이 지나가다가 한 수씩 가르쳐 주는 광경을 훔쳐보면서 소년의 아빠 담우천의 심경에 변화가 생긴 것이다.

어쩌면 무공을 모르던 시절로 돌아가기에는 이미 늦었다고 생각했는지도 모른다. 또 어쩌면 죽은 아내, 소년의 엄마 자하의 생각이 옳았다고 여겼는지도 모른다.

그리고 어쩌면 무공을 배우지 않았으면 모르되 한 번 배운 이상에는 천하제일인으로 만들자는 생각이 들었는지도 모른다.

그 누구도 감히 덤벼들 생각을 하지 못할 정도로 강해진다면, 역설적으로 너무 강해진 까닭에 사람을 죽이지 않게 될 수도 있었으니까.

성도부 화평장을 떠나 악양부에서 재회한 이후, 담우천

은 예전과 달리 진심으로 담호를 가르치기 시작했다.

먼저 나서서 뭔가 가르치려고는 하지 않았지만 담호가 묻거나 시범을 보여 달라고 할 때는 얼마든지 그의 요구에 응답해 주었다.

다른 모든 배움과 마찬가지로, 무공 또한 크게 세 개의 벽을 깨부숴야 절정의 경지에 오르게 된다.

그 첫 번째 벽은 이류(二流)에서 일류(一流)의 경지로 오르는 단계에 있었다.

아무리 자질이 형편없고 가르침이 부족하다 할지라도 자신이 노력만 한다면 누구나 이류 고수의 경지까지는 다다를 수가 있었다.

거기까지는 별다른 무공이나 사부도 필요하지 않았다. 피나는 수련과 훈련, 반복되는 칼질이나 권각술, 그렇게 십여 년 가까이 수행하다 보면 이류 고수 소리는 충분히 들을 수 있었다.

하지만 일류는 달랐다. 일류급 고수가 되려면 내공을 운용할 줄 알아야 했다. 최소한 내공의 힘을 빌려 경공술을 펼치고 칼을 휘두르며 지풍을 날릴 줄 알아야 했다.

그건 사부에게서 무공이나 심법을 제대로 배우지 않으면 도달하기 힘든 경지였다. 그게 첫 번째 벽으로, 그 벽을 가리켜 체벽(體壁)이라 했다.

일류 고수가 다시 절정 고수로 오를 때, 그 앞을 가로

막는 두 번째 벽이 나오게 된다.

이류 고수와 일류 고수의 차이가 내공의 유무에 있다면 일류 고수와 절정 고수와의 차이는 내공의 고하에 있었다.

일 갑자는 아니더라도 그에 버금가는 내공이나, 혹은 그에 상응하는 무위를 펼칠 수 있어야 비로소 절정 고수라 일컬었다. 호사가들은 그 두 번째 벽을 가리켜 공벽(功壁)이라 불렀다.

마지막 세 번째 벽은 심벽(心壁)이라 했다. 심벽은 곧 깨우침이었고 득도였으며 각성이었다. 노력을 한다고 해서 얻을 수 있는 경지가 아니었으며, 자질이 뛰어나다고 해서 깨우칠 수 있는 경지도 아니었다.

심벽은 하늘의 뜻이었다. 사람의 의지와 하늘의 뜻이 하나로 조화되었을 때, 그제야 비로소 부수고 뛰어넘어 또 다른 경지로 나아갈 수가 있었다.

그래서 내공과 무위는 이미 신(神)의 경지에 올랐으나 그 마지막 심벽을 깨지 못한 채 삶을 마감하는 고수들도 적지 않았다.

심벽을 깨고 더욱더 정진하여 마침내 무공의 모든 이치를 깨닫게 되면, 그때부터는 손을 뻗으면 곧 초식이 되고 손을 휘저으면 그게 곧 무공이 되는 경지에 이르게 된다.

저 소림사의 달마나 무당파의 시조 장삼봉이나, 제왕검

해의 창시자이자 우내검신(宇內劍神)이라 불렸던 남궁세가의 칠대가주(七代家主), 그리고 무무진경을 쓴 혜우가 바로 그 경지까지 오른 인물들이었다.

그리고 그들은 그러한 경지에 오른 이후로는 단 한 명의 목숨도 빼앗지 않았다. 그저 한없이 너그럽고 인자하며 여유가 넘치는 모습으로 세상 모든 사람을 대했을 뿐이었다.

그것만으로도 그들에게 칼끝을 들이대던 자들이 절로 무릎을 꿇고 고개를 숙여야 했으니, 바로 그들이야말로 진정한 의미의 인자무적(仁者無敵)이었던 셈이다.

담우천이 담호에게 바라는 것이 그 인자무적의 경지인지는 누구도 모른다. 어쩌면 담우천 본인도 모를 터였다. 물론 담호도 알지 못했다.

그저 담호는 장엄하게 내리치는 빗줄기를 바라보면서 조금 전 설벽린이 말했던, '우리는 서로 다 누군가의 살수다'라는 말을 한없이 속으로 되뇌고 있을 따름이었다.

쏴아아아!

굵은 빗줄기가 더욱 요란하게 지면을 두드리고 있었다.

* * *

현실은 달랐다.

살아남기 위해서라도 타인을 죽여야 했고, 그렇게 사람을 죽이는 것에 대한 죄책감을 느끼는 무림인은 단 한 명도 없었다. 그건 담우천이나 장예추는 물론 강만리 역시 마찬가지였다.

강만리는 한 시진 전 몰래 훔쳐 보았던 은자림의 살수와 비슷한 차림새로 옷을 갈아입었다.

그는 검은색 경장(輕裝)에 검은 피풍의(披風衣), 그리고 코까지 가리는 크고 깊숙한 흑립(黑笠)을 눌러쓴 채 장맛비처럼 내리 퍼붓는 빗줄기를 뚫고 황야를 달렸다.

그 뒤로 어디서 구했는지 굵은 지팡이 하나를 쥔 만해거사가 거침없이 경공술을 펼치며 따라왔다.

"살막의 살수들이 어디에 있는지도 모르잖은가?"

만해거사는 이리저리 헤매지 않고 곧장 북동쪽으로 직진하는 강만리를 향해 의아한 목소리로 물었다.

그러자 강만리는 쉬지 않고 경공술을 펼치며 대답했다.

"그야 은자림이 북서쪽, 그리고 흑제 무리가 남쪽에 있으니까요."

은자림과 흑제 일당, 그리고 살막은 서로의 존재를 인식하고 견제하는 상황이었다.

그러니 다들 멀찍하게 떨어져서 은신처를 만들었을 테고, 이미 북서쪽과 남쪽에 각각 은자림과 흑제 일당이 있는 이상 살막이 머물 곳은 북동쪽뿐이라는 게 강만리의 추측이었다.

"호오, 그렇군."

듣고 보니 확실히 일리가 있는 강만리의 추측에 만해거사는 감탄하며 고개를 끄덕였다. 도대체 이 미련하고 무식하게 생긴 사내의 머릿속에 뭐가 들어 있는지 새삼 궁금한 대목이었다.

만해거사는 다시 입을 열었다.

"그래, 어떤 식으로 분란을 일으킬 셈인가? 그냥 가서 아무나 발견하는 대로 죽일 겐가?"

사실 마구잡이로 죽일 필요는 없었다. 살막이 강만리와 만해거사를 은자림의 살수라고 오해하게 만드는 게 진정한 목적이었다. 그러니 마냥 죽이는 것만으로는 그 목적을 달성할 수가 없었다.

하지만 강만리의 대답은 의외였다.

"마음대로 하셔도 됩니다."

강만리는 일직선으로 내달리면서도 주변 덤불숲을 예리하게 살폈다. 지금 그는 천조감응진력을 한껏 끌어올린 상태였다.

경공술을 펼치면서 말을 하는 건 상당한 수준의 내공이 없다면 가능하지 않은 일이었다. 강만리는 거기에다가 천조감응진력까지 무리 없이 펼치면서도 전혀 힘든 기색을 보이지 않고 있었다.

"그저 태백현인과 같은 위엄과 위용만 보여 주시면 됩니다. 뒷일은 제가 알아서 할 테니까요."

"흠, 그럴까?"

만해거사는 짐짓 노회한 노도사(老道士)처럼 근엄한 표정을 지었다.

그때였다. 바람처럼 빠르고 경쾌하며 날렵하게 지면을 날아가던 강만리가 우뚝 멈춰 섰다. 미처 속도를 늦추지 못한 만해거사는 하마터면 강만리의 그 장대한 등에 부딪칠 뻔했다.

"말이라도 하고 멈춰야지……."

만해거사가 눈살을 찌푸리며 말하려다가 입을 다물었다. 강만리가 황급히 몸을 낮췄던 것이다.

'뭔가 발견했나 보구나.'

만해거사가 본능적으로 뒤따라 몸을 숙일 때 강만리의 나지막한 목소리가 들려왔다.

"우측 이십여 장 떨어진 숲입니다."

만해거사는 우측으로 고개를 돌렸다.

이 황야에서는 쉽게 찾아볼 수 없는, 그렇다고 해서 아예 없지도 않은 숲이 그곳에 펼쳐져 있었다. 대략 이삼백 평 정도 되는 조그만 숲, 그 안에서 한 줄기 희미한 연기가 빗줄기 사이로 피어오르고 있었다.

"호오, 모닥불이라도 피워 놓은 모양이로군."

만해거사의 말에 강만리는 고개를 끄덕였다.

"흑제 무리처럼 임시 막사라도 쳐 둔 모양입니다."

"그렇겠지. 아무리 살수들이라 하더라도 이 장대비를 밤새도록 맞는 건 쉽지 않을 테니까."

"조심하십쇼."

"자네나 조심하게."

강만리와 만해거사의 대화는 그게 끝이었다. 두 사람은 자세를 낮춘 채 벌판을 가로질러 숲으로 향했다.

숲이라고 해 봤자 겨우 이삼 장 높이에 불과한 조그만 나무들이 조그만 군락(群落)을 형성하고 있을 따름이었다.

그래서였다. 앙상한 나뭇가지 사이에 걸터앉은 채 주변을 감시하고 있는 무사들이 확연히 강만리의 시야에 들어왔다.

숲 근처에 다다른 강만리와 만해거사는 기척을 숨기고 호흡을 감춘 채 천천히 이동했다. 경비 무사들의 시야를 피해 나무 아래까지 접근한 그들은 서로 눈빛을 교환했다.

일순 강만리가 먹잇감을 포착한 범처럼 도약하여 경비 무사의 등을 후려쳤다.

와지끈! 소리와 함께 척추가 으스러졌다. 정면만 주시하고 있던 경비 무사는 비명도 지르지 못한 채 나무 아래로 추락했다. 그러자 나무 아래 숨어 있던 만해거사가 가볍게 무사를 받아서 소리 나지 않게 바닥에 내려놓았다.

강만리는 힐끗 그 광경을 내려다본 후 시선을 돌려 건너편 나무 꼭대기 부근에 서 있는 살막의 살수를 노려보았다. 미처 동료의 죽음을 알아차리지 못한 듯 그자 또한 오로지 정면 쪽만 주시하고 있었다.

강만리는 길게 호흡을 가다듬은 후, 자신의 몸을 지탱하고 있던 앙상한 나뭇가지를 박차고 날아올랐다. 나뭇가지가 파르르 떨리는 순간, 강만리는 순식간에 사오 장 거리를 날아올라 경비 무사의 머리 위에서 내리꽂히고 있었다.

쐬아아아!

굵은 장대비와 함께 허공에서 날아든 강만리의 솥뚜껑 같은 손이 무사의 정수리를 찍어 눌렀다. 목뼈가 부러지며 무사의 머리가 어깨 속으로 쑥 들어갔다.

이번 무사도 비명 한 점 내지르지 못했으나, 그 대처는 전혀 달랐다. 강만리의 일격에 목숨을 잃는 상황에서도 무사는 손에 들고 있던 대롱을 허공으로 발출했던 것이다.

펑! 하는 소리와 함께 폭죽이 허공 높이 터졌다. 적의 기습을 알리는 살막 특유의 신호였다.

동시에 숲 안쪽에 모여 있던 살막의 살수들이 일시에

몸을 날려 튀어나왔다.

"바보 같으니!"

나무 아래에서 그 광경을 지켜보고 있던 만해거사가 강만리를 향해 꾸짖었다. 강만리는 애써 태연한 기색으로 대꾸했다.

"모든 게 계획대로입니다."

"계획은 무슨!"

만해거사는 눈살을 찌푸리며 몸을 솟구쳤다. 새하얀 검기(劍氣)가 아슬아슬하게 그의 발을 훑고 지나갔다.

"어딜 감히!"

만해거사가 창노(蒼老)한 외침을 터뜨리며 지팡이를 휘둘렀다.

어젯밤부터 퍼붓던 폭우가 여전히 거친 새벽녘. 그렇게 살막과의 싸움이 시작되었다.

3장.

폭우(暴雨)는 그치지 않고

살수의 본질은 암살(暗殺)에 있었다.
사람을 죽이는 방법이야 수백, 수천 가지가 넘겠지만
가장 간단하면서도 쉬운 방법은
몰래 등 뒤로 다가가 명문혈에 칼을 꽂는 일이었다.

1. 삼오(三五)다!

담우천과 장예추는 덤불숲을 빠져나오자마자 곧장 흑묘낭랑 청련과 독염지주 홍련의 수하들이 죽어 있는 덤불 더미를 향해 달려갔다.

폭우가 시야를 가릴 정도로 맹렬하게 쏟아졌지만, 그들의 가공할 질주는 막지 못했다. 두 사람은 순식간에 수십 장의 거리를 나는 듯 달려가 목표 지점에 도달했다.

기척은 느껴지지 않았다. 청련과 홍련 모두 예의 그 구릉 막사에 머무르고 있는 모양이었다.

담우천과 장예추는 바로 덤불 안으로 뛰어들어 시신들의 옷을 벗기고 갈아입었다. 장예추가 바로 밖으로 나오려다가 문득 걸음을 멈추고 뒤를 돌아보았다. 담우천이 시신 둘을 양 옆구리에 끼는 중이었다.

"시체는 왜요?"

장예추의 물음에 담우천은 담담한 어조로 말했다.

"흑제 무리가 저질렀다는 흔적을 남기기 위해서."

"아, 그렇군요."

장예추는 뭔가 깨달았다는 듯 고개를 끄덕이더니 그 역시 다시 몸을 돌려 시신 두 구를 양 옆구리에 꼈다.

"일격에 당한 시신들로만 고르게. 살수들에 의해 죽은 듯한 시신들 말일세."

"네."

장예추는 담우천이 무슨 말을 하는지 알아차리고는 세밀하게 시신의 상태를 살펴본 후, 다시 두 구의 시신을 양 옆구리에 꼈다. 그러고는 덤불을 빠져나와 빗속을 내달리기 시작했다.

철퍽!

지면은 발목까지 차오르는 흙탕물로 변한 지 오래였다. 두 사람이 질주하면서 일으키는 소리가 폭우 소리와 함께 뒤섞여 사방으로 흩어졌다.

이미 강만리로부터 은자림의 은신처를 전해 들은 두 사람이었다. 은신처 인근까지는 거침없이 질주해도 상관없었다. 비록 새벽녘이라고는 하지만 어쨌든 아직 사위는 어두웠고, 폭우는 그들의 기척을 철저하게 감춰 주고 있었으니까.

은자림의 살수들은 강만리 일행이 머물고 있는 덤불숲에서 가장 멀리 떨어진 곳에 자리를 잡고 있었다. 그들 역시 덤불숲에 동굴 같은 공간을 만들어서 휴식을 취하는 중이었다.

살수들이라 하더라도 사람이었다. 그들 또한 평범한 사람들처럼 잠을 자고 음식을 먹고 배설했다.

특히 지금 이렇게 휴식을 취할 수 있을 때는 그 기회를 놓치지 않았다. 살행에 들어선다면 며칠 동안 제대로 잠도 자지 못하고 먹지도 못하며 심지어 배설조차 마음대로 할 수가 없을 테니까.

모닥불이 활활 타오르고 있는 동굴 구석진 자리로 이삼십여 명 정도가 누워 있는 가운데, 대여섯 명만이 소리 나지 않게 움직이며 덤불 밖을 감시하고 또 모닥불 위에 물을 끓이는 중이었다.

차라도 마시려는 건지, 아니면 건포(乾脯)를 끓여서 국을 만들려는 건지는 모르겠지만 모닥불 위에 올려진 솥에서는 한참 부글부글 수증기가 피어오르고 있었다.

그야말로 평화롭고 한가로워 보이는 야영의 모습이었다. 누구 하나 긴장하거나 초조해하지도 않았다.

하기야 지금 그들이 은신처로 삼은 이곳은 강만리 일행

으로부터 약 십여 리나 떨어져 있었고, 또한 흑제 무리와 살막과도 전혀 마주치지 않을 위치였으니 그들이 이렇게 한가롭게 있는 건 너무나도 당연한 일일 것이다.

"경비를 서는 녀석들에게도 나눠 줘야겠지?"

"당연하지. 이 비바람에는 뜨끈뜨끈한 고깃국처럼 좋은 게 없을 테니까."

서너 명의 장한은 솥에 건포를 넣으며 그런 대화를 나눴다. 아무리 무더운 여름이라지만 두 시진 내내 미친 듯이 쏟아지는 폭우를 맞고 있었으니 뜨거운 고깃국처럼 몸을 후끈 달아오르게 만드는 것도 없을 것이다.

장한 중 하나가 전낭(錢囊)에서 말린 향채(香菜)와 소금 등을 꺼내 국에 넣고 휘휘 저었다. 허리에는 전낭 말고도 국자와 젓가락 등이 암기처럼 꽂혀 있는 걸로 보아, 아마도 그자가 이 무리에서 식사를 담당하는 책임자인 모양이었다.

"음, 좋군."

장한은 국자로 국물을 떠서 간을 본 다음 고개를 끄덕였다. 근처에 모여 있던 사내들이 입맛을 다시며 다가오자, 장한은 허리춤에서 국자들을 꺼내 사내들에게 나눠 주었다.

사내들은 "어어." 소리를 내면서 맛있게 국을 떠먹었다. 장한은 구석진 자리에 놓인 봇짐에서 사발 몇 개를 꺼내 국을 펐다. 그러고는 아직도 국을 퍼먹고 있는 사내들을 향해 눈을 부라리며 말했다.

"그만 좀 먹고 녀석들에게 가져다주라고."

"한 번만 더 떠먹고."

"크으. 속이 다 풀리네."

"여기에 술 한 잔만 있으면 더할 나위가 없을 텐데."

"쉿. 현인께서 들으시겠다."

"아이쿠."

사내들은 이내 목소리를 낮추고는 장한의 지시에 따라 사발들을 들고 동굴 밖으로 나갔다. 경비를 서고 있는 동료들에게 한 그릇씩 돌릴 작정이었던 것이다.

"어라? 왜 안 보이지?"

"소피라면 예서 봤을 터, 큰일이라도 보러 간 모양이로군."

"그렇겠지?"

경비를 서고 있어야 할 동료들의 모습이 보이지 않았지만 세 명의 사내들은 크게 생각하지 않았다. 외려 기회는 이때다 싶은 듯 그들은 동료들에게 줄 사발에 입을 대고 한 모금씩 훔쳐 마시고 있었다.

그렇게 서너 모금을 나눠 마신 후에도 여전히 동료들의 모습은 보이지 않았다. 아무리 큰 볼일이라고 하더라도 이제는 돌아올 때가 지났다.

사내들의 표정이 굳어졌다. 상황이 심상치 않음을 그제

야 깨달은 것이다.

그들은 아직도 국과 고깃덩어리가 남아 있는 사발을 살그머니 내려놓고 대신 검과 칼을 쥐었다. 청각과 후각을 최대한 끌어올리면서 주변의 기척을 확인했다.

쏴아아!

쉴 새 없이 쏟아지는 폭우와 아직도 사위 경계가 불분명한 어둠이 그들의 이목을 가린 가운데, 어느 한순간 희미한 신음이 그들의 귓전으로 스며들었다.

반사적으로 그들이 무기를 빼 들며 몸을 날렸다. 덤불 뒤쪽에서 무언가가 꿈틀거리고 있었다. 사내들은 일시에 칼을 휘두르려다가 누군가의 외침에 반사적으로 무기를 거둬들였다.

"삼오(三五)다!"

고개를 푹 숙이고 덤불에 기댄 채 어떻게든 일어서려고 꿈틀거리고 있던 이는 다름 아닌 그들의 동료, 삼오였다.

조금 전까지만 하더라도 강건한 모습으로 덤불 주변을 경계하고 있던 그였으나, 지금은 죽음을 앞에 둔 중상자가 되어 있었다.

"무슨 일이야, 삼오?"

사내들이 무릎을 꿇고 다급하게 물었다.

삼오는 천천히 고개를 치켜들었다. 그 순간 흙과 피로 범벅이 된 얼굴이 쏟아지는 빗물에 씻겨져 제 모습이 드러났다.
"헉!"
"삼오가 아니다!"
"이런!"
사내들은 새롭게 드러난 얼굴을 확인하고는 저마다 헛바람을 집어삼키며 무기를 휘두르려 했다.
하지만 이미 때는 늦었다. 삼오로 변장했던 장예추의 칼이 그들의 다리를 휘감았다. 사내들의 다리가 짚단 잘리듯 우수수 베어졌다.
"컥!"
"으윽!"
사내들이 격한 신음을 토해 내면서 균형을 잃고 비틀거리는 순간, 등 뒤에서 갑자기 새하얀 검선(劍線)이 그어지나 싶더니 그대로 사내들의 목이 잘려 나갔다.
허공으로 날아올랐다가 지면으로 떨어지는 사내들의 머릿속에서 그제야 한 가지 의문이 떠오르고 있었다.
'가만, 누가 삼오라고 외친 거였지?'
물론 그 해답까지 생각할 틈은 없었다. 몸통과 분리된 머리는 진흙탕을 뒹굴며 생(生)을 마감했으니까.
사내들의 등 뒤에서 검을 날리고 또 그 전에 '삼오다!'라고 외친 자는 물론 담우천이었다.

이 은자림의 살수들이 서로를 숫자로 부른다는 사실을 알게 된 건 확실히 행운이라 할 수 있었다.

"뭔 볼일을 아직도 보는 거야, 삼오?"

"요즘 변비가 심해서 그래."

"흠, 요즘 변비가 유행인가 보네. 삼이(三二)와 일육(一六)도 변비던데 말이지. 어쨌든 빨리 자리로 돌아가라고."

"알겠네."

사내는 그렇게 대화를 마친 후, 큰일을 보던 삼오는 놔두고 다시 제자리로 돌아갔다. 혼자 쭈그리고 앉아서 온 신경을 항문에 집중하던 삼오는 자신의 등 뒤로 살금살금 다가오는 담우천의 기척을 전혀 감지하지 못했다.

'됐다!'

기나긴 씨름 끝에 결국 큰일에 성공한 삼오가 성취감 가득 담긴 뿌듯한 탄성을 속으로 내지를 때, 바로 지근거리까지 다가온 담우천의 거궐이 장대비를 일직선으로 찌르며 삼오의 명문혈을 관통했다.

"으윽!"

삼오는 짧은 신음을 흘리며 앞으로 고꾸라졌다.

얼마 떨어지지 않은 곳에서 경비를 서고 있던 사내, 삼일(三一)은 그 짧은 신음을 듣고 피식 웃었다.

"진짜 변비가 심한 모양이네."

삼일은 일을 마치고 돌아가는 대로 좋은 의생을 소개시켜 줘야겠다고 생각했다.

그때, 누군가 빗속을 뚫고 터벅터벅 걸어왔다. 삼일이 본능적으로 칼을 꼬나들며 물었다.

"누구냐?"

"나야."

고개를 푹 숙인 채 다가오는 검은 신형. 언뜻 삼오의 목소리처럼 들려왔다.

삼일은 칼을 내리며 웃었다.

"뭐야? 일은 다 본 거야?"

"다행히도."

힘겹게 말한 삼오는 문득 지면을 가리키며 의아한 목소리를 냈다.

"저게 뭐지?"

"뭐가?"

삼일의 고개가 삼오의 손가락을 따라 지면으로 향하는 순간, 삼오의 칼이 허공을 가르며 그대로 삼일의 목덜미를 내리쳤다.

서걱!

마치 오이가 잘리는 듯한 소리와 함께 삼일의 잘린 목이 흙탕물에 풍덩 빠졌다.

다른 두 경비 무사를 해치우는 일도 그리 어렵지 않았

다. 삼일과 삼오의 흉내를 내면서 접근한 다음 몰래 옆구리에 칼을 쑤셔 넣거나 혹은 명문혈을 찌르는 것으로, 담우천과 장예추는 그들을 간단하게 해치울 수 있었다.

"생각보다 쉽네요."

장예추는 시신들을 옮기며 말했다.

"이 정도라면 아예 몰살을 시켜도 괜찮지 않을까요?"

"너무 무시하지 말게."

담우천은 덤불 구석진 자리에서 한바탕 격전이 있었던 것처럼, 가지고 온 시신 네 구와 은자림의 시신 네 구를 마구 흩어 놓으며 말했다.

"오랫동안 이 폭우 속에서 경비를 서느라 긴장감과 집중력이 확연히 떨어진 자들이네. 게다가 누가 감히 자신들을 암습할까 태평하게 있던 자들이네. 만약 정면으로 싸우면 결코 승리를 장담할 수 없을 걸세. 어쨌든 저자들은 은자림의 삼십육귀들과 태백현인이니까."

"그럼 이제 어떻게 할까요? 크게 비명이라도 질러서 저들이 달려 나오게 할까요?"

장예추가 담우천을 도와 대충 격전의 흔적을 마무리 지으며 물을 때였다.

"다들 어디 있나? 뜨거운 고깃국을 가져왔네!"

덤불 안쪽에서 세 명의 사내가 걸어 나오며 소리쳤다.

담우천은 장예추를 돌아보며 말했다.

"자네가 삼오 노릇 좀 해야 할 것 같네."

2. 우리가 곧 천하제일이니까

"허어!"

눈앞에 펼쳐진 참혹한 현장에 태백현인은 저도 모르게 창노한 탄식을 터뜨렸다.

네 명의 경비에게 고깃국을 가져다준다고 세 명의 동료가 밖으로 나간 지 반 시진이 넘도록 돌아오지 않았다. 뭔가 수상쩍다고 생각한 이들은 곧 동료들을 깨워 주변을 수색했고, 결국 이렇게 자신의 동료들이 처참하게 죽어 있는 현장을 발견했다.

놀란 그들에게 보고를 들은 태백현인은 곧장 수하들을 모두 데리고 달려왔다. 이 현장에서 그가 본 건 수하들 일곱 구의 시신과 정체불명의 시신 네 구가 목이 잘리고 발목이 잘린 채 마구 뒤엉켜 있는 광경이었다.

"기습을 당한 게로군."

태백현인은 곧 정신을 차리고 상황을 추측하기 시작했다.

"경비를 서던 녀석들은 등 뒤에서 놈들이 다가오는 것도 눈치채지 못했어. 살수가 제 명문혈을 찔려 죽다니, 그런

멍청하고 어리석은 죽음이 또 어디 있다는 말이냐?"

살수의 본질은 암살(暗殺)에 있었다.

사람을 죽이는 방법이야 수백, 수천 가지가 넘겠지만 가장 간단하면서도 쉬운 방법은 몰래 등 뒤로 다가가 명문혈에 칼을 꽂는 일이었다.

그런데 살수 자신이 그런 단순하고 간단한 방법에 목숨을 잃다니, 그것처럼 치욕적인 죽음이 없었다.

"하지만 상대는 살수가 아니다. 칼질의 형태가 일반 무림인의 그것과 똑같으니까."

살수는 가장 효율적으로 상대를 죽이는 방법을 연구하고 그 수법을 끊임없이 연마했다. 그들에게 화려한 검법은 사치였고, 웅장하고 도도한 무공은 쓸모가 없었다.

오로지 일직선, 단 한 번의 칼질로 상대를 죽일 수 있는 무공. 그게 살수의 검법이고 도법이며 살인술(殺人術)이었다.

은자림의 살수들을 해치운 수법은 그런 살수의 특징과 사뭇 달랐다. 굳이 힘들게 목을 베고 발목을 베는 것도 일반 살수의 행동이라 볼 수 없었다.

"그러니 살막의 짓은 아니고……."

태백현인은 수하들 곁에 나동그라져 있는 정체불명의 시신 네 구를 살폈다. 그 시신들에는 확실히 은자림의 살수들에게 당한 듯 단순하면서도 강력한 일격에 의해 목숨을 잃은 흔적이 새겨져 있었다.

태백현인은 심장이 꿰뚫려 죽은 시신, 목젖이 관통당한 시신, 명문혈에 구멍이 난 시신 등을 보면서 천천히 고개를 끄덕였다.

"기습을 당한 와중에도 제법 나름대로 잘 싸운 모양이구나. 그래도 이렇게 네 명이나 저승길로 함께 데려갔으니."

"건곤가 측 놈들일까요?"

은자삼십육귀 중 서열 첫 번째, 즉 대일(大一)라는 자가 조심스레 물었다.

은자심삽육귀는 특별하게 신분의 상하(上下)나 직급을 따로 두지는 않았다. 다들 동료였고 나이를 불문하고 같이 말을 놓는 사이였다.

하지만 그 무공 서열은 확실해서 숫자가 낮을수록 무공이 뛰어났으며 가장 무공이 강한 여섯 명, 즉 대일부터 대육(大六)까지는 다른 동료들을 지휘한 권한을 가지고 있었다. 특히 대일은 은자삼십육귀를 대변하고 책임지는 수좌의 역할을 맡고 있었다.

"그렇겠지."

태백현인은 끄응, 하며 자리에서 일어났다.

"살막이 아니면 북방흑제, 그놈들뿐이니까. 그리고 북방흑제의 수하들이라면 확실히 이 정도 솜씨는 지니고 있을 터. 흥!"

태백현인은 눈을 가늘게 뜨며 주변을 살폈다.

여전히 폭우는 그치지 않고 쏟아졌다. 조금 전까지 남아 있었을지도 모르는 흔적은 폭우 속에서 흙탕물로 뒤덮여 사라진 후였다.

하지만 태백현인의 눈은 예리했고 그의 이목은 남다른 바가 있었다. 얼마 가지 않아서 그는 누군가 다급하게 도주하면서 남긴 흔적을 찾아낼 수 있었다.

태백현인은 현장에서 그리 얼마 떨어져 있지 않은 곳에서 찢어진 옷자락과 부러진 덤불 가지들을 찾아낼 수 있었다.

"최소한 두 명 정도는 살아남아서 도주한 모양이다."

대일이 다시 물었다.

"쫓을까요?"

"상관없다."

태백현인은 남쪽으로 시선을 돌리면서 중얼거렸다.

"이곳으로 오면서 흑제 무리가 어디에 진을 치고 있는지 확인해 두었으니까."

태백현인은 세 무리 중에서 가장 늦게 이곳 유주 황야에 도착했다.

미리 수하들로부터 이곳에 자신들 말고 또 다른 두 부류의 무리가 강만리 일행을 추격하고 있다는 보고를 받은 태백현인은 홀로 인근 지역을 탐색하여 그 두 무리가 살막과 흑제 일당임과 그들의 은신처를 확인했다.

은자림이 지금 이렇게 강만리 일행의 북서쪽에 자리를 잡은 것도 바로 그러한 이유에서였다.

“흠, 우리가 거추장스럽다고 생각했나 보구나, 흑제.”

태백현인은 남쪽, 어딘가에 있을 낮은 구릉 쪽을 노려보며 중얼거렸다.

“하지만 내가 이곳에 있다는 걸 몰랐다는 게 네놈의 실착이다. 오늘의 빚, 이 폭우가 그치기 전에 반드시 갚아주마. 그것도 백 배로 말이다.”

태백현인은 이 참극을 벌인 자가 강만리의 일행일지도 모른다는 생각은 추호도 하지 않았다. 쥐가 고양이를 무는 일도 드물거니와, 무엇보다 이 네 구의 시신은 익히 보고받아 왔던 강만리 일당과는 전혀 다른 인물들이었다.

“일반 호위무사들은 따로 걱정할 정도의 무위를 지니고 있지 않습니다. 오로지 강만리와 그 주변 인물들만 조심하시면 됩니다.”

그런 보고에 따르자면, 이 네 구의 시신은 강만리의 호위무사들도 주변 인물도 아니었다. 그러니 태백현인은 애당초 강만리에 대해 아무 혐의도 갖지 않았다.

“우선 놈들의 후미부터 자르기로 한다.”

태백현인이 말했다.

"흑제 무리 중 증원군을 마중 나간 몇 명이 있다. 그들부터 해치워서 증원군과 흑제 일당이 합류하기 어렵게 만든다. 이후 흑제의 뒤꽁무니부터 살금살금 빼먹을 것이다."

태백현인은 가늘게 눈을 뜨며 말을 맺었다.

"암살이라면…… 우리가 곧 천하제일이니까."

* * *

"흠……."

"무슨 생각을 하기에 아까서부터 혼자 계속해서 흠, 흠, 하는 건가?"

"아, 어떻게 해야 제대로 살막의 살수로 위장할 수 있는지 감이 잡히지 않아서요."

"너무 깊게 생각하지 마. 우리가 따로 살수 훈련을 받은 것도 아니니까, 그들과 똑같이 행동하려다가는 외려 일이 어긋날 수도 있지. 그리고……."

"그리고……?"

"만약 자네가 진짜 살막의 살수라면 말이지, 과연 현장에 자신의 흔적을 남길까?"

"그야 물론 아니죠."

"그러니까. 살막뿐만 아니라 모든 살수들이 그럴 거야. 자신들이 암살했다는 흔적을 남겨서 굳이 후환을 만들 필요가 없잖아? 애당초 담 형님이나 예추도 살막의 살수로 위장한 게 아니잖아? 그저 그 흑묘낭랑과 독염지주가 스스로 오해해서 그렇게 착각했을 뿐이지."

"흠…… 무슨 말인지 알겠습니다. 그러니까 그냥 내 마음대로 움직이고 해치우는 게 외려 더 살막의 살수로 오인당할 가능성이 크다 이거로군요."

"그렇겠지. 은자림이 굳이 흑제를 건드릴 이유가 없고, 또 우리가 역공을 펼칠 가능성도 적다고 생각한다면 역시 의심은 살막이 사게 될 거야. 무엇보다 흑묘낭랑과 독염지주가 그렇게 주장할 테고, 흑제는 반쯤 의구심을 품은 채로 그녀들의 의견을 따르게 되겠지."

"왜죠? 왜 흑제가 두 사람의 의견을 따르는데요?"

"그녀들 모두 전대(前代)의 괴물들이니까."

정유는 게서 말을 멈추고 하늘을 올려다보았다.

쏴아아!

죽립 사이로 보이는 하늘에서는 여전히 굵은 장대비가 쉬지 않고 쏟아졌다.

온몸이 비에 흠뻑 젖어, 옷이 몸에 찰싹 달라붙었다. 비 특유의 비릿한 냄새가 어디에서고 진하게 흘러나왔다.

불쾌할 만도 할 법하지만 정유는 이 폭우가 고맙기 그지 없었다. 이렇게 구릉 아래까지 다가왔음에도 불구하고 구릉 위쪽에서 경계를 서고 있는 북방흑제의 무사들

중 누구 하나 정유와 화군악의 존재를 알아차리지 못하고 있었으니까.

"마구 날뛸 필요는 없어."

정유는 다시 시선을 정면, 구릉 위쪽으로 돌리며 입을 열었다.

"그저 한 사람씩, 뒤에서 등을 노리고 계속 찌르면 되는 거다. 그렇게 하다가 누군가 크게 비명을 지르고 저들의 진영이 소란스러워지면 그때 빠르게 후퇴하면 돼. 뒷일은, 누가 감히 자신들을 암살했는지 고민하는 건 오롯하게 그들의 몫이니까."

정유의 말에 화군악은 환한 얼굴로 고개를 끄덕였다.

"그렇군요. 그렇게 단순하게만 움직이면 되는 건데, 너무 깊게 고민했나 봅니다. 역시 형님처럼 단순한 게 최고라니까요."

정유는 가볍게 눈살을 찌푸렸다.

강만리의 말이 옳았다. 아무래도 화군악은 저 괜한 한마디를 줄여야 할 것 같았다.

3. 연횡(連橫)이라니

"으악!"

구릉 경계선 즈음에서 날카로운 비명이 터졌다. 금세 소란이 일었다. 막사 안에서 자고 있던 자들이 제대로 무장도 하지 않은 채 빠르게 튀어나왔다.

"누구냐?"

"어디야?"

무사들은 저마다 소리치며 사방으로 날뛰었다. 물론 그 고함 속에는 정유와 화군악이 일부러 그들을 교란시키는 외침도 섞여 있었다.

"동쪽으로 도망쳤다!"

"아니, 남쪽이다! 남쪽!"

여전히 폭우가 퍼붓는 가운데, 아직 사방이 어둠에서 가려져 있는 상황에서 여기저기에서 쏟아지는 함성과 고함은 북방군 무사들이 갈피를 잡지 못하게 만들었다.

"젠장!"

흑묘낭랑 청련과 독염지주 홍련의 흥분과 화를 가라앉히느라 막 잠자리에 들었던 북방흑제가 자리에서 벌떡 일어났다. 그는 간이침상 한쪽에 세워 둔 낭아도(狼牙刀)를 손에 들고, 거칠게 막사 휘장을 걷어 내며 밖으로 나섰다.

쏴아아!

요란하게 퍼붓는 굵은 빗줄기에 북방흑제는 저도 모르게 눈살을 찌푸렸다.

소란은 구릉의 북동쪽에서 일고 있었다. 여전히 비명과 고함이 난무했고, 그 와중에 찢긴 막사가 세찬 비바람에 쉴 새 없이 펄럭였다.

때마침 청련과 홍련이 그에게로 달려왔다.

"살막의 짓이에요!"

"살막이 짓입니다!"

그녀들은 거의 동시에 외쳤다.

경비 책임을 맡고 있던 규환(叫喚)을 제외한 두 명의 다른 당주들도 북방흑제를 찾아 달려왔다.

"적의 수가 꽤 많습니다!"

"하나같이 은밀하고 암살 능력이 뛰어나 아군의 피해만 늘어 가고 있습니다!"

초열(焦熱)과 아비(阿鼻), 두 당주는 수하들의 잘못된 보고를 그대로 북방흑제에게 전달했다.

청련과 홍련이 다시 목청 크게 소리쳤다.

"역시 살막의 짓이라니까요!"

"당장 살막 놈들을 모조리 때려죽여야 합니다!"

하지만 북방흑제는 경거망동하지 않았다.

'하지만 그들이 왜?'

바로 그 의문이 북방흑제로 하여금 머뭇거리게 만들고 있었다. 북방흑제는 잠시 생각하다가 입을 열었다.

"그건 나중 문제다. 지금은 저들, 침입자를 모두 해치우는 게 중요하다. 네 당주는 어서 가서 규환 당주를 도와 이 소란을 가라앉히도록 하라! 아, 한두 명 정도는 살려 두도록 하고!"

"알겠습니다!"

초열과 아비는 곧장 소란이 일어난 곳으로 달려갔다. 청련과 홍련은 북방흑제를 향해 눈을 부라리고는 그들의 뒤를 따라 몸을 날렸다.

'역시…….'

북방흑제는 속으로 가볍게 한숨을 내쉬었다.

역시 사마외도의 무리는 믿을 게 못 된다.

'지금 저 청련과 홍련의 증오 가득한 눈빛만 봐도 그렇다. 그녀들은 적에게 쏟아 내야 할 분노와 증오를 외려 내게 분출하고 있다.'

그런 생각이 떠오르자 북방흑제의 마음이 무거워졌다. 꽤 오랫동안 함께 지내면서 나름대로 규율이 잡히고 상하 관계가 확실해졌다고 생각했지만 그게 아니었다.

연놈들은 언제고 북방흑제와 건곤가를 배신하고 뒤통수를 칠 작자들이었다. 하기야 애당초 사마외도의 동료들을 배신하고 건곤가의 수하가 된 자들이 아니던가.

한 번 배신한 자는 두 번도 배신할 수 있었다. 그러니 한 번이라도 배신한 자를 믿는 것처럼 어리석은 일은 없었다.

'단단히 주의해야겠다.'

북방흑제 현명군은 굳게 마음을 먹으며 다시 살막으로 생각을 옮겨 갔다.

'도대체 살막이 왜 우리를 공격하는 거지?'

아무리 생각해도 그 이유를 알 수 없었다.

살수 집단이 사람을 죽이는 이유는 오로지 청부를 받았다는 것, 그 하나뿐이었다. 청부 대금을 받지 않고 살인을 하는 것처럼 시간과 힘을 낭비하는 살수는 없었다.

'설마…….'

북방흑제의 눈빛이 달라졌다.

'누군가 우리를 청부 대상에 올린 건가?'

그렇다면 가능했다. 왜 살막이 강만리 일행이 아닌 북방군을 기습하고 암습하는지에 대한 설명이 되었다.

'애당초 놈들의 목표가 강만리들이 아니었던 건가?'

살막은 북방흑제의 눈을 속이려고 일부러 강만리 일행을 노리는 척한 것일지도 몰랐다. 그게 아니고서는 저 살막의 행태를 도저히 설명할 수가 없었다.

'그렇다면 도대체 누가 살막에게 청부를 한 걸까?'

그 의문에 대한 해답은 금세 찾을 수가 있었다.

'강만리, 바로 그놈들이겠구나.'

무슨 연(緣)으로, 어떤 방법으로 놈들이 살막과 협상을 했는지 모르겠지만, 강만리는 살막이 그들에 대한 복수를 뒤로하고 대신 건곤가의 북방군을 암살하게 만들게 한 것이다.

일반 사람이라면 거의 불가능한 일이었지만, 평소 들은 강만리의 그 뛰어난 지략이라면 충분히 가능한 일이었다. 어쨌든 저 황궁 연쇄살인 사건을 단숨에 해결한 자가 아니던가.

북방흑제의 얼굴이 딱딱해졌다.

만약 강만리와 살막의 연합이 가능하다면, 또 강만리와 은자림의 연계도 가능할 수 있었다.

어쩌면…….

'살막과 은자림 모두 강만리를 노리는 게 아니라 우리를 노리는 것일지도…….'

북방흑제는 저도 모르게 입술을 깨물었다.

북방군, 은자림, 살막이 강만리 일행을 사면초가(四面楚歌)로 에워싼 형국이었는지 알았는데, 사실은 그게 아닐지도 몰랐다.

어쩌면 은자림과 살막, 그리고 강만리 일행이 힘을 합쳐 북방군을 포위하고 합공을 펼치려는 계획일 가능성이 없지 않았다.

'만약 그게 진실이라면…….'

아마도 은자림은 북방군의 배후를 노릴 것이다. 즉, 그들은 먼저 북방군에게 다른 가문의 연합군이 합류하지 못하도록 할 공산이 컸다.

다시 말해 그들을 마중 나간 흑승과 중합 두 당주가 위험할 수도 있었다.

'그쪽으로 사람을 보내야겠구나.'

북방흑제가 빠르게 머리를 굴리고 있는 동안, 북방군 북동쪽 진지에서 일었던 소란이 잠잠해졌다. 적의 기습을 모두 물리친 모양이었다.

북방흑제는 잠시 생각을 멈추고 북동쪽 진지를 바라보았다. 아니나 다를까, 얼마 지나지 않아 네 명의 당주가 거의 동시에 날아와 북방흑제 앞에 섰다.

그들의 면면을 훑어보던 북방흑제의 얼굴이 살짝 일그러졌다. 네 당주의 얼굴에 떠오른 분한 기색과 부끄러운 표정의 편린을 읽은 까닭이었다.

"놓쳤나?"

북방흑제가 물었다.

네 당주는 입술을 질끈 깨물 뿐, 누구 하나 쉽사리 말을 꺼내지 못했다. 그래도 그중 가장 나이가 많은 규환이 망설이다가 천천히 입을 열었다.

"죄송합니다. 우리가 당도했을 때는 이미 놈들이 모두 물러난 후였습니다."

아비가 뒤따라 말했다.

"수하들의 말에 따르자면 놈들의 움직임이 너무나 표홀

하고 종잡을 수가 없어서 제대로 확인할 수조차 없었다고 합니다. 어떤 자들은 적이 두세 명이라고 하기도 했고, 또 어떤 자들은 십여 명이 넘는다고도 보고했습니다."

"허어."

북방흑제는 어이가 없었다.

천하의 북방군 무사들이 그깟 살수 집단에게 이렇게까지 농락을 당하다니.

'아니다. 만약 살막이 우리를 노린 거라면 일반 살수는 보내지 않았을 것이다. 최소한 은면(銀面)이나 금면(金面), 아니, 어쩌면 오마신(五魔神)이 직접 나섰을 수도 있다.'

상대가 오마신이라면 지금의 보고가 충분히 이해 가는 일이다. 어쨌든 살막의 최고 살수이자, 초절정의 무공을 소유한 것으로 알려진 고수들이었으니까.

북방흑제는 표정을 관리하며 물었다.

"우리 측 피해는?"

규환이 대답했다.

"죽은 자가 다섯, 중상자가 일곱입니다."

'음? 생각보다 그리 큰 피해는 아니군.'

북방흑제는 내심 고개를 갸웃거렸다.

'오마신이 직접 나선 것치고는 소소한 피해다. 도대체 무슨 속셈이지? 우리에게 경고를 하는 것도 아니고……

그렇다고 맛만 본 것도 아닐 테고…….'

잠시 혼란에 빠진 북방흑제는 이내 고개를 세차게 흔들었다. 그러고는 예리하게 눈빛을 반짝이며 입을 열었다.

"아무래도 살막의 짓인 것 같다."

홍련과 청련이 반색하며 소리쳤다.

"그러니까요!"

"우리 말이 맞았다니까요!"

북방흑제는 차분하게 말을 이었다.

"어쩌면 생각보다 상황이 심상치 않을 수도 있다."

북방흑제는 그렇게, 조금 전 자신이 떠올렸던 추측과 추론에 대해서 간략하게 설명했다.

가만히 듣고 있던 네 당주의 얼굴이 천천히 굳어졌다. 사람들의 눈가에 긴장의 빛이 스며들었다.

강만리와 살막과 은자림의 연횡(連橫)이라니, 결코 쉽게 떠올릴 수 없는 기략(機略)이 확실했다.

설명을 마친 북방흑제는 당주들의 얼굴을 돌아보며 차후 대책에 대해서 이야기하기 시작했다.

"급한 건 흑승과 중합 쪽이다. 사실 은자림이 그들을 기습할 확률은 일 할도 채 되지 않을 게다. 그러나 그 일 할로 인해서 우리의 모든 계획이 무너질 수도 있는 터, 규환과 아비는 수하들을 이끌고 흑승과 중합을 찾아가라."

"알겠습니다."

"그리하겠습니다."

"그리고 사상자를 제외하고 새롭게 부대를 재편, 홍련과 청련이 맡도록 하라."

"그렇다면 바로 살막을……."

북방흑제는 손을 들어 서둘러 입을 열려던 청련을 제지하며 천천히 말을 이었다.

"살막에는 오마신이 있다. 오마신이 나섰다면 당연히 그들 뒤에 금면 혹은 은면의 살귀들이 버티고 있을 터, 마냥 함부로 움직일 수는 없다."

"흥!"

홍련이 코웃음을 치며 말했다.

"그깟 오마신 따위에 겁을 먹다니, 역시 돌다리도 두들겨 보고 건넌다는 신후대협(愼厚大俠)다운 조심성이구려."

그녀가 비웃듯 말하는 순간이었다.

"갈(喝)!"

서슬 퍼렇게 외치는 북방흑제 현명군의 눈썹이 일순 하늘 끝까지 치켜 올라갔다.

"죽고 싶더냐, 독염지주!"

그는 새파랗게 번쩍이는 눈빛으로 홍련을 쏘아보며 말했다. 홍련 또한 지지 않고 북방흑제를 노려보았다. 옆에서 있던 청련이 살그머니 손을 움직여 그녀를 툭 쳤다.

홍련은 그제야 시선을 거두고 고개를 숙이며 말했다.

"죄송합니다, 흑제."

북방흑제는 당장이라도 때려죽일 듯한 눈빛으로 홍련을 바라보다가 길게 한숨을 내쉬며 호흡을 가다듬었다. 그러고는 조금 더 차분해진 목소리로 천천히 말했다.

"정 뜻이 그렇다면 어쩔 수 없겠지. 좋아, 홍련과 청련은 나와 함께 살막을 치기로 한다."

일순 홍련과 청련이 반색하며 허리를 숙였다.

"흑제의 명을 받듭니다!"

4장.

그래. 날 죽이게

"십삼매가 싫은 건 싫은 거고, 그렇다고 해서 대의까지 저버리는 건 아니지.
어쨌거나 황계와 우리는
척백멸정(拓白滅正)의 의기로 하나가 된 관계이니 말일세."

그래. 날 죽이게

1. 진퇴양난(進退兩難)

쏴아아아!

밤새 퍼붓던 빗줄기가 더욱 굵어지는 가운데, 천천히 날이 밝아 왔다. 우중충한 하늘은 한껏 내려앉아 금방이라도 폭삭 무너질 것만 같았으며, 가끔씩 천둥 소리도 멀리서 들려왔다.

"쯧쯧…… 그리 덥더니 이번에는 홍수인가?"

나무를 덧대어 만든 창문을 닫으며 저귀가 툴툴거렸다. 하도 비바람이 거세다 보니 밤새 한숨도 자지 못하고 객잔 곳곳을 손봤던 까닭에, 아침나절임에도 불구하고 그의 살집 두툼한 얼굴에는 졸음이 한껏 묻어 있었다.

삐걱거리는 창문을 닫은 후 그는 늘어지게 기지개를 켜며 계산대로 돌아와 앉았다.

"아무래도 오늘은 손님이 없겠군."

오늘 같은 날에는 손님이 있어도 문제였다. 지붕 곳곳에서 비가 새는 바람에 이 층은 물론, 일 층 대청까지 온갖 그릇들을 가져다 두었다.

탁자 위에도 국 끓이는 솥과 고기를 삶는 솥이 여러 개 놓여 있었다. 게다가 닫힌 문밖에서는 흙탕물까지 흘러들어오고 있었다.

"젠장. 날이 개면 대대적으로 보수를 해야겠네."

저귀는 투덜거리며 계산대에 엎드렸다.

"가만있자, 마을 사람들 중에 목수가 있었던가?"

저귀는 그렇게 중얼거렸다.

비록 외지고 사람 많지 않은 조그만 마을이지만, 또 찾아보면 의외로 없는 사람이 없는 곳이기도 했다. 솜씨 좋고 일 처리가 빠른 목수 한둘 정도는 찾아보면 충분히 찾을 수 있을 것이다. 유명촌(幽冥村)은 원래 그런 동네였다.

"그러니까…… 으음……."

저귀는 계산대에 엎드린 채 마땅한 목수를 떠올리다가 천천히 늦은 잠에 빠져들었다.

* * *

"안 되겠습니다."

마차 밖에서 노인의 공손한 목소리가 나지막하게 들려왔다.

"밤새 쏟아진 폭우에 사방이 다 진창입니다. 마차 바퀴가 빠져서 움직일 수가 없습니다. 아무래도 마차는 버리셔야 할 것 같습니다."

마차 안에 타고 있던 십삼매가 곤혹스러운 표정을 지으며 맞은편 자리에 잠들어 있는 소홍을 바라보았다. 마차 좌석을 앞으로 당겨 만든 침상에는 소홍이 늘씬한 각선미를 드러낸 채 새근새근 잠자고 있었다.

"다른 방안은 없을까요?"

십삼매가 묻자 다시 노인의 공손한 대답이 들려왔다.

"마차를 뜯어내서 교자(轎子)를 만들 수는 있을 겁니다. 사인(四人), 아니 팔인(八人) 교자로 만들면 두 분 아가씨께서 편히 쉴 수 있으실 겁니다."

교자는 곧 가마를 가리켰다. 장정들이 양옆으로 들어서 운반하는데 그 수에 따라 이인(二人) 교자, 사인 교자, 팔인 교자로 나뉘었다.

교자의 몸체가 무겁고 규격이 클수록 당연히 운반하는

장정의 수가 많아질 수밖에 없었다. 여덟 명의 일류급 무인이 드는 교자라면 그 안에서 춤을 추거나 뛰어놀아도 상관없을 정도의 큰 교자였다.

"얼마나 걸릴까요?"

"이 마차를 그대로 사용하면 됩니다. 마차 바퀴를 떼고 들것을 다는 데는 그리 큰 시간이 소요되지 않을 겁니다. 반나절이면 충분합니다."

"그럼 그렇게 하죠. 잘 부탁드려요."

"알겠습니다. 잠시 마차가 흔들려도 이해해 주시기 바랍니다."

노인의 목소리는 더 이상 들려오지 않았다. 대신 수레바퀴를 떼는 듯한 흔들림과 소리가 이어졌고, 말들의 투레질도 연달아 들려왔다.

노인의 이야기와는 달리 마차를 교자로 만드는 건 상당히 거칠고 대단한 공사였다. 하지만 노인의 장담대로 마차 바퀴를 떼어 내고 들것을 달아 교자꾼들이 들고 운반할 수 있게끔 개조하는 시간은 그리 오래 걸리지 않았다.

바퀴를 뗀 마차가 잠시 바닥에 내려앉았다가 둥실 허공으로 떠오르는 느낌이 드나 싶더니, 이내 편안하고 흔들림 없이 움직이기 시작했다.

교자를 멘 여덟 명은 이런 경험이 적지 않았는지, 발목까지 빗물이 차오르는 진창을 걷고 있음에도 불구하고 꽤 안정적으로 교자를 메고 이동했다.

다시 교자 밖에서 예의 그 노인의 공손한 목소리가 들려왔다.

"모두 끝났습니다. 그럼 편히 쉬시기 바랍니다."

"수고하셨어요, 무옹(武翁)."

십삼매는 부드럽게 말했다.

평소 그녀를 지근거리에서 보좌하고 그녀에게 보고하고 그녀의 안위를 책임지는 세 명의 사내가 있었다.

주로 보고를 담당하는 삼십 대 장년의 사내는 무영(武影)이라 했고, 사십 대 중년 사내는 무군(武君)이라 했으며, 오십 대 초로(初老)의 별명은 무옹이었다.

무옹은 십삼매의 수고하셨다는 말에, 그녀가 보이지 않는 교자 밖에서 공손하게 허리를 숙이며 말했다.

"감사합니다. 그럼 계속해서 강 대협 일행의 뒤를 쫓아가겠습니다."

"고생하세요."

"그럼 이만."

무옹은 다시 한번 교자를 향해 허리를 숙인 후 천천히 몸을 돌렸다.

십삼매를 대할 때는 공손하고 정중하기만 하던 그였으나, 이렇게 몸을 돌리는 순간 그가 뿜어내는 기도가 완연하게 달라졌다.

마치 일대종사(一大宗師)와 같은 장엄하고 위압감 넘치는 기세가 전신에서 서리서리 흘러나왔다.

무웅은 오십여 명의 황백(黃伯)을 돌아보며 냉랭하게 말했다.

"유주에 발을 디뎌 놓은 이상 앞으로 무슨 일이 언제 어떤 식으로 벌어질지 모른다. 게다가 어젯밤부터 지금까지 계속해서 퍼붓고 있는 폭우 속에서, 은밀하게 다가오는 적의 기습은 쉽게 알아차릴 수가 없다. 지금 이곳 유주에는 살막과 은자림, 그리고 건곤가를 비롯한 오대 가문의 세력이 밀집해 있다는 걸 잊지 말아라. 그러니 다들 긴장의 끈을 놓치지 말고 주위를 살피고, 무엇보다 아가씨들의 안위를 최우선적으로 생각하기 바란다."

아가씨들, 십삼매와 소홍의 안위에 대한 걱정이 컸던 까닭일까. 평소의 모습과는 달리 무웅의 말이 길어지고 있었다.

"먼저 나간 척후조와 번갈아 교대하면서 전방의 추이를 살피고 강 대협 일행의 뒤를 쫓도록 한다. 또한 후미조와도 계속 소통하여 단 한 명의 이탈자가 없도록 하며, 동시에 급변하는 상황이나 사건 사고에 제대로 대응할 수 있도록 하자."

쏴아아아!

엄청난 폭우가 쏟아지고 있었지만 중얼거리듯 나직하

게 말하는 무옹의 목소리는 그 장대한 빗줄기를 뚫고 뒤쪽에 서 있는 사내들의 귀에도 또렷하게 전달되었다.

오십여 명의 황백은 무심한 표정으로 무옹의 말에 귀를 기울였다. 무옹은 계속해서 당부했다.

"아무래도 이런 대규모의 작전은 모두들 처음일 터, 계속해서 쉬지 않고 동료들과 또 다른 조들과 손발을 맞추는 연습을 게을리하지 마라. 이번 작전은 앞으로 있을 천번지복(天飜地覆)을 대비한 좋은 훈련이 될 것이다. 이상이다."

무옹의 말이 끝났다.

한자리에 모여 있던 오십여 명의 황백은 곧 맡은 바 제자리로 돌아갔다.

그들은 교자로 개조한 마차를 운반하는 여덟 명의 황백을 중심에 두고, 전후좌우 이십여 장 반경까지 넓혀서 주변을 수색하며 움직이기 시작했다.

무옹은 천천히 교자를 따라 걸으며 힐끗 하늘을 올려다보았다. 하늘에 구멍이라도 뚫린 것처럼 굵은 장대비가 쉴 새 없이 내리퍼붓고 있었다.

"좋은 건지 나쁜 건지 모르겠군."

무옹은 희미한 목소리로 그렇게 중얼거렸다.

황백 백 명과 황객(黃客) 오백 명으로 이뤄진 대규모의 군단(軍團)이 움직이고 있었다. 아마 황계가 체계적인 모습을 갖추게 된 지난 이백여 년 이후 가장 대규모의 집단이 모습을 드러낸 것이리라.

사실 어떤 의미에서 보자면 지금 십삼매는 진퇴양난에 처했다고 할 수도 있었다.

아직은 오대가문과 전면전을 펼칠 수 없었다. 비록 강만리를 비롯한 무림오적에게 이런저런 타격을 당해 오대가문의 세(勢)가 약해진 건 사실이나, 그렇다고 쉽게 무너질 정도로 오대가문이 궁지에 몰린 건 아니었으니까.

외려 그들은 지금까지 입었던 손해를 만회하고 복수하기 위해 이를 갈며 나설 터, 병법을 생각한다면 정면으로 부딪쳐 싸우는 건 반드시 피해야 할 일이었다.

하지만 무림오적은 반드시 구해 내야 할 대상이었다. 그들의 용도는 아직 무궁무진했으며 여전히 오대가문에 타격을 줄 힘을 가지고 있었다.

이렇게 무림오적이 제멋대로 황계의 품에서 도망치게 놔둘 수는 없었다. 또한 무림오적이 오대가문과 금적산, 황후의 원한과 증오 속에서 목숨을 잃게 놔둘 수도 없었다.

십삼매가 굳이 직접 나선 것도, 백 명의 황백과 오백 명의 황객을 차출한 것도 바로 그러한 이유에서였다.

무사히 무림오적과 만나서 그들을 설득하고 회유해야

한다. 그 와중에 오대가문과 전면전이 일어나지 않도록 전투는 회피하고 전쟁은 피해야 한다.

그게 얼마나 어려운 일인지, 그 모순된 일이 지금의 상황을 얼마나 외통수로 몰아넣고 있는지, 십삼매는 이제는 교자로 개조된 마차의 창밖을 통해 하염없이 쏟아지는 장대비를 쳐다보며 새삼 곱씹는 중이었다.

2. 나는 천옥에게 걸지

"십삼매부터의 전갈입니다."

"흠, 말해 보라. 마침 모두 모여 있는 자리이니까."

"지난 오월 사천 성도부에서 강만리를 비롯한 무림오적과 그의 식솔들이 야반도주를 감행, 현재 북경부를 지나 유주로 향하고 있다고 합니다."

"와아! 그 뚱땡이 아저씨가 대단한 결심을 한 거네!"

"조용히 해라, 천옥. 네가 함부로 입을 열 때가 아니다."

"자꾸 그렇게 절 꽁꽁 묶으려 하면 저도 그 뚱보 아저씨처럼 야반도주를 할 거라고요."

"그러든가 말든가."

"자자, 그만하게. 왜 자네는 천옥의 말이라면 사사건건

쌍심지를 켜고 그러는가? 설마 일전에 몇 대 얻어맞은 게 아직도 분에 풀리지 않은 건 아니겠지?"

"무슨 소리야? 내가 몇 배는 더 때려 줬는데."

"칫, 그건 제가 노인 공경을 해 드린 거라고요. 이제는 제가 마음만 먹으면 일대일로 붙어서 누구에게도 지지 않을 거라고요."

"흠, 과연 그런지는 저녁 비무 시간 때 확인하기로 하고. 계속 보고하거라."

"네. 문제는 오대가문과 금적산, 황후가 강만리들에게 복수를 하기 위해 각각 가문의 병력과 살수를 동원하여 그들을 죽이려는 데에 있다고 합니다. 그래서 십삼매는 백 명의 황백과 오백 명의 황객을 동원하여 강만리들을 구하고 설득하여 되돌아오게끔 하려는 중이랍니다."

"으음, 그 정도 병력이면 황계 전력의 절반 가까이 되지 않으려나?"

"그건 또 모르는 일일세. 그 영악하고 교활한 꼬마 아가씨가 어느 정도의 병력을 뒤로 숨겨 놓았는지 아무도 모르니 말이지."

"아, 물론 십삼매라면 그럴 공산이 크기는 하지. 자네에게 제대로 배운 탓에 워낙 뒷공작을 좋아하고 또 잘하니까 말일세."

"음? 그건 좋은 일이 아닌가? 그런데 왜 나를 비아냥거리는 소리로 들리지?"

"저도 그렇게 들었어요."

"천옥아, 입 다물라고 하지 않았느냐?"

"그러죠, 뭐."

"그래. 그래서? 십삼매가 그런 전갈을 우리에게 보낸 이유가 뭐지?"

"네. 말미(末尾)에 적혀 있습니다. 혹시 여유가 되신다면 오대가문의 배후를 교란하여 저들이 더는 유주 땅, 무림오적에게 신경을 쓸 수 없도록 해 주실 수 없느냐고 부탁했습니다. 무림오적의 용도는 아직도 무궁무진하여 이렇게 간단히 용도 폐기할 자들이 아니라고 하면서 말입니다."

"흠, 무림오적이 아니라 강만리 그 녀석 때문이겠지."

"음? 아직도 그 못생긴 녀석을 좋아하나?"

"원래 첫사랑은 쉬이 잊히지 않는 법이잖은가?"

"오오? 십삼매가 그 뚱보 아저씨를 좋아했어요? 이건 또 처음 들어 보는 이야기네요."

"천옥아."

"네네, 입 꼭 다물고 있습죠."

"흐음, 다들 어찌 생각하나?"

"글쎄. 그러는 자네는 어찌 생각하는데?"

"아직 오대가문과의 전면전은 시기상조네. 하지만 저들에게 우리가 죽지 않았음을 보여 주는 건 또 그리 나쁠 것 같지 않기도 하고."

"그렇다고 타초경사의 어리석음을 범할 수도 없지 않은가? 괜히 이목을 우리에게 집중시킬 이유도 없고. 나는 이곳 서안에서의 느긋한 휴식이 마음에 들던 참이거든."

"이곳이 좋은가, 자네는?"

"응? 자네는 싫은가?"

"싫지. 하루가 멀다 하고 돈황(敦煌)과 난주(蘭州)에서 불어오는 모래바람에 하늘은 늘 희뿌연 하지, 목은 늘 가래가 끼고 기침이 나오지. 결코 사람 살 곳이 못 되네."

"그래도 이곳 계집들의 속살이 끝내주지 않는가?"

"으음, 나도 그것 하나는 마음에 드네."

"저도요."

"어쨌든 나는 십삼매의 부탁을 들어줄 생각이네. 꽤 오래 쉬기도 했고, 이러다가 몸에 녹이 슬 것 같기도 하고, 또 무림오적 애송이들에게 모든 걸 맡기기에는 체면이 서지 않는 것 같기도 하니까."

"나는 싫네. 우리에게 부탁하려면 좀 더 공손하고 정중하게 해야지, 늘 이런 식으로 우리의 의중을 떠보는 식으로 말한다니까. 그래서 십삼매가 싫네."

"십삼매가 싫은 건 싫은 거고, 그렇다고 해서 대의까지 저버리는 건 아니지. 어쨌거나 황계와 우리는 척백멸정(拓白滅正)의 의기로 하나가 된 관계이니 말일세."

"흠, 그러면 언제나 그래 왔던 것처럼 각자 마음이 이끌리고 기분이 내키는 대로 행동하기로 하지."

"좋아요! 저는 그럼 건곤가를 맡죠."

"네가 나설 자리가 아니다, 천옥."

"그럼 저녁 비무 때 할아버지를 이기면, 그때는 허락해 주시는 걸로 해요."

"정말 날 이길 거라고 생각하느냐?"

"설마 제게 질 것 같으세요?"

"허허허. 이 녀석, 이제 격장지계도 펼칠 줄 아는군그래. 어떤가, 이 정도면 내기를 받아들여도 될 것 같은데. 설마 자네, 이 녀석 말대로 질 것 같은 건 아니겠지?"

"물론이지! 좋아! 아주 따끔한 맛을 보여 주지. 두 번 다시 그런 소리 입 밖에 내지 못하도록 말이야!"

"그래? 좋아. 나는 천옥에게 걸지."

"그럼 나도."

"어라, 자네들 정말 그렇게 할 건가? 내가 천하의 혈천노군이라는 걸 모두 잊은 겐가? 응? 대답 좀 하게. 왜들 고개를 돌리고 있나?"

* * *

머나먼 서안 땅 어느 외지고 한적한 장원에서 그런 대

화가 오고 갈 때, 굵은 장대비를 뚫고 유주 초입으로 들어서는 대규모의 또 다른 무리가 있었다.

"이것 참 기묘한 일이군. 북경부를 지날 때까지만 하더라도 이런 폭우가 쏟아지지 않았는데…… 유주 일대만 내리는 폭우인가 보군그래."

사백여 명으로 구성된 연합군의 선두에 선 자들 중 한 명이 삿갓을 살짝 들어 올리며 중얼거렸다. 그 옆에 서 있던 늙은 여승이 서늘한 목소리로 말을 받았다.

"땅을 보아하니 적어도 어젯밤부터 쉬지 않고 쏟아진 것 같구려."

땅은 온통 진창이었다.

지면의 굴곡에 따라 만들어진 도랑은 넘쳐서 개울이 되고, 개울이 모여서 강을 이루고 있었다. 싯누런 토사(土砂)가 격랑을 일으키며 흐르는 강줄기 앞에서 사백여 무리는 잠시 발걸음을 멈춰야만 했다.

"보고에 따르자면 마차와 함께 이동 중이라 했으니, 지금 이 지면의 상태를 보자면 그리 멀리 가지 못했을 것이오."

금해가 백여 병력을 대표하는 고목대사의 말에 처음 이야기를 꺼냈던, 무적가 오십여 무사를 지휘하는 제갈충수(諸葛忠秀)가 고개를 끄덕이며 말했다.

"하루, 늦어도 이틀 안에 놈들을 따라잡을 수 있을 것 같습니다."

"그렇다면 이 폭우는 우리에게 있어서 행운이군요."

천왕가 오십여 무사를 이끌고 온 금각(金閣)의 부각주(副閣主)가 한마디 보태자, 다른 이들 모두 천천히 고개를 끄덕이며 동의했다.

이들, 선두에 선 여섯 명이 이끄는 사백여 무리는 바로 오대가문의 무사들로, 건곤가에서 열린 가주회의 당시 긴급하게 결성된 연합군이었다.

그들 모두는 각 가주, 혹은 가주를 대표하여 회의에 참석한 자들의 호위 병력들이니만큼 무공 수위가 다들 절정에 이른 고수들이었다.

또 그런 만큼 서로의 개성이 강하고 달라서 쉽게 하나의 무리로 통일될 리가 없었다. 만약 멸절사태, 그녀가 책임자로 나서지 않았다면 더더욱 그러했을 것이었다.

무정검왕이 중상을 입고 구천자, 운룡신창, 홍염철검 등 자신의 동료들이 모두 목숨을 잃게 되자, 멸절사태는 하늘을 우러르며 그 복수를 맹세했다.

굳이 그녀가 금해 가주 초일방을 따라오대가문의 가주회의에 참석한 것도, 또 누구를 연합군의 주장(主將)으로 삼아야 하는가를 두고 토의할 때 직접 자천(自薦)한 것도 바로 그런 이유에서였다.

멸절사태의 명성은 천하에 모르는 이가 없었다. 굳이

따지자면 우내구신과 무림십왕의 뒤를 잇는 명성과 또 그에 버금가는 무위를 지녔다고 알려진 인물이기도 했다.

또한 매사 공평하고 좌우 치우침이 없으며 손속이 매섭고 독랄하여 뭇 강호인들의 외경(畏敬)을 받는 그녀였기에, 오만하고 독선적이며 자신이 가장 뛰어나다고 생각하는 오대가문의 무사들을 한데 묶을 수가 있었던 것이다.

주름투성이의 늙은 여승, 멸절사태는 천지를 멸할 것 같은 굉음과 모든 걸 집어삼킬 듯한 격랑을 일으키며 흐르는 강물 저편을 지켜보며 입을 열었다.

"선발대의 마중이 있을 거라 하지 않았소?"

건곤가 무사들의 수장(首將) 격인 노인이 대답했다.

"폭우로 황야의 지형이 많이 바뀌었소이다. 어제까지 없던 강이 새로 생기기도 하고, 온종일 쏟아지는 세찬 비바람에 구릉이 무너지기도 하면서 약속 장소를 찾아오느라 조금 시간이 걸리는 것 같소이다."

여인도 아니면서 비단으로 된 면사(面紗)로 얼굴을 가리고 있는 이 청수한 노인은 서방백제(西方白帝) 욕수군(蓐收君)이라는 이름으로 건곤가 내에서 불리고 있었다. 하지만 지금 이 자리에서는 그저 간단하게 백제(白帝)라는 별명으로 스스로를 소개한 후였다.

멸절사태는 힐끗 백제를 돌아보며 물었다.

"그럼 이곳에서 얼마나 기다려야 할 것 같소?"

백제는 강 저편에서 시선을 떼지 않은 채 대답했다.

"늦어도 오늘 낮까지는 만날 수 있을 것이외다. 이미 그들은 무림오적이라는 자들의 위치를 알고 있으니, 안내를 받아 움직이면 오늘 밤, 늦어도 내일 아침에는 놈들의 그 흉흉한 면상을 볼 수 있을 것이요."

"알겠소."

멸절사태는 고개를 끄덕인 후 다른 수장들을 둘러보며 지시를 내렸다.

"예까지 오는 동안 제대로 쉬지도 못했으니, 이참에 반나절만이라도 푹 쉬기로 합시다. 무림오적을 만나게 되면 쉬려고 해도 쉴 수가 없을 터이니 말이오."

백제와 고목대사를 비롯한 다섯 가문의 무사들을 휘하로 둔 다섯 명의 수장이 일시에 고개를 끄덕이며 몸을 움직였다.

그렇게 다섯 수장이 휘하들에게 지시를 내리기 위해 곁을 떠났지만, 멸절사태는 시간이 흐를수록 더욱더 강하게 휘몰아치는 장대비 속에 홀로 우두커니 남아 강 저편을 하염없이 노려보았다.

감당할 수 없는 살기가 그녀의 승복(僧服)을 휘감으며 흐르고 있었다.

3. 미안하이

쫘아아아!

아침이 되면서 그 지독했던 어둠은 물러갔지만 여전히 폭우는 새하얀 물안개를 피워 내며 쏟아졌다. 아니, 외려 시간이 갈수록 폭우는 더욱 거칠고 강렬해지는 것만 같았다.

“좋지 않아, 좋지 않아.”

일노는 울상이 된 채 지면과 마차의 바퀴를 번갈아 바라보았다.

발목까지 차서 이제는 금세 무릎까지 차오를 것만 같은 흙탕물이 지면을 뒤덮고 있는 가운데, 한 걸음 움직일 때마다 진창이 쑥쑥 패였다. 이 상태라면 마차의 운행은 절대 불가능했다.

일노는 다시 고개를 돌려 덤불숲을 바라보았다. 덤불숲 역시 일정 부분 물에 잠기고 있었다.

동굴처럼 만든 공간 내에 밤새 밝혀 뒀던 모닥불도 물에 잠겨 꺼진 지 오래였으며, 동굴 안에 있던 화평장의 여인들과 아이들은 이미 모두 마차로 옮겨탄 후였다.

“마차를 버릴 수도 없고…… 그렇다고 마차를 타고 갈 수도 없고…….”

일노는 슬픈 목소리로 혼자 중얼거리면서 고개를 설레

설레 흔들었다.

'흐음.'

마침 마차 내부에 앉아서 초유동의 몸을 닦아 주던 만해거사는 일노의 중얼거림을 듣고 살짝 표정이 달라졌다. 그는 저도 모르게 초유동을 내려다보았다.

죽은 듯 미동도 하지 않았다. 눈을 뜨지도 손가락을 움직이지도 않았다. 그가 살아 있음을 증명하는 건 가늘고 희미한 호흡, 그리고 금방이라도 꺼질 듯 뛰고 있는 맥박이 전부였다.

이렇게 된 초유동을 보살피고 치료한 지도 벌써 두 달 가까이 흘렀다.

그동안 어떻게든 초유동을 살리기 위해서 만해거사는 구자육과 갖은 노력을 다했지만, 결국 소용이 없었다. 심지어 황궁 의생들이나 황궁보고에서도 그를 살릴 방도는 찾지 못했다.

만해거사는 뒷머리를 벅벅 긁었다.

'마차를 버리고 간다면…….'

초유동은 그야말로 짐이었다. 그것도 한없이 귀찮고 번거로우면서 까다롭기 그지없는 짐. 버릴 수도, 그렇다고 모실 수도 없는 짐. 위급한 상황이 닥치게 되면 더더욱 처치 곤란하기만 하게 될 짐.

'그렇게 마냥 짐이 될 바에야…….'

차라리 이쯤에서 헤어지는 게 낫다 싶었다. 포기하고 단념하는 게 옳은 일이다 싶었다. 괜한 고집으로 다른 이들에게까지 피해를 줄 수는 없었다.

그건 초유동도 마찬가지일 게다. 만약 그가 눈을 뜰 수가 있고 입을 열어 말할 수가 있다면, 아마도 만해거사를 쳐다보면서 싱긋 웃으며 이렇게 말했을 것이다.

-그래. 날 죽이게.

문득 눈물이 흘렀다.

유 노대의 죽음 이후 더는 흐르지 않을 것만 같았던 눈물이 한 방울, 만해거사의 눈가에 맺혀 흘렀다. 만해거사는 거친 손등으로 쓱쓱 눈물을 훔쳐 닦았다.

"허어, 민망하게시리."

만해거사는 애써 웃으며 초유동에게 말을 건넸다. 마치 살아 있는 자에게 대화를 나누는 것처럼.

"미안하이."

만해거사는 수건으로 초유동의 해골처럼 마른 몸을 닦으며 소곤거렸다.

"아무래도 자네 말대로 하는 게 옳은 것 같군. 내가 지옥을 가는 한이 있더라도 말일세."

만해거사는 초유동을 뒤로 눕혔다.

차마 얼굴을 볼 수가 없는 것일까. 아니면 보다 쉽게 그의 목숨을 끊게 하기 위함일까.

만해거사는 초유동의 등과 허리와 엉덩이를 천천히 닦았다. 하루도 빼먹지 않고 씻고 닦고 관리해 준 덕분인지 초유동의 몸에서는 욕창(褥瘡)이나 물집은 전혀 보이지 않았다.

열성을 다해 초유동의 등을 닦던 만해거사의 손이 어느 한순간 부들부들 떨리기 시작했다. 그의 손가락이 초유동의 명문혈 어림을 오갈 때였다.

"나중에 저승에서 만나게 되면……."

만해거사는 힘겹게 입을 열었다.

"그때 날……."

하지만 그는 결국 말을 잇지 못했다. 대신 몇 번이나 망설이고 또 망설이던 그의 손가락이 초유동의 명문혈을 정확하게 짚었다. 초유동의 몸에 남아 있던 한 점의 생기(生氣)마저 사라지는 순간이었다.

"미안하네, 친구."

만해거사는 그를 돌려 눕히고 옷을 입혔다. 옷 매듭을 쥐는 그의 손이 한없이 떨렸다.

"고생하셨습니다."

마차 문이 열리고 구자육이 웃으며 들어섰다.

"새로운 약을 달여 봤습니다. 이번에는 약재의 배합을

조금 달리해 봤거든요. 그런데…….”

구자육은 약사발을 들고 만해거사 옆에 앉다가, 문득 그의 표정이 이상하다는 걸 알아차렸다.

동시에 구자육의 표정도 달라졌다. 그는 무언가를 직감한 듯 서둘러 초유동의 맥을 짚고 호흡을 살폈다.

“이런…….”

구자육이 탄식하며 중얼거렸다.

“결국 돌아가셨군요.”

구자육의 말에 만해거사는 아무런 대꾸도 하지 않았다. 구자육이 그를 위로하며 말했다.

“모르기는 몰라도 친구가 고생하는 걸 더는 보고 싶지 않으셨나 봅니다. 그런 초 어르신을 생각해서라도 너무 슬퍼하지 않으셨으면 합니다.”

외려 그 위로가 애써 다잡고 있던 만해거사의 마음을 건드린 것일까.

“크윽.”

뒤늦게 만해거사의 입에서 신음이 흘러나오더니 그 신음은 이내 오열이 되었다. 만해거사는 눈물을 흘리면서 고백하듯 말했다.

“내가 죽였네. 내 손으로 직접, 내 오래된 벗의 목숨을 끊었네. 벗이 날 위해 죽은 게 아니라 내가 편해지기 위해서 벗을 죽인 걸세.”

일순 구자육은 충격을 받은 얼굴이 되었다. 하지만 이내 정신을 차리고 상황을 판단했다.

'사방에서 적이 몰려드는 이 위험한 시국에 초 어르신이 우리들의 짐이 된다고 여기셨던 게로구나.'

구자육은 만해거사의 속내를 이해할 수가 있었다.

의생의 입장에서 보자면 있을 수 없는 일이기는 했다. 또한 인륜(人倫)에도 어긋나는 일일 수도 했다.

하지만 벗의 목숨이 중요한 만큼 동료들의 안위도 중요했다. 그 갈등을 딛고 만해거사가 내린 결정을 구자육은 충분히 이해할 수 있었다.

"어쩔 수 없는 일이었습니다. 초 어르신도 잘했다고 말씀하셨을 겁니다. 이제 웃으며 보내 드리는 게 그분을 위한 도리라고 생각합니다."

구자육의 위로가 도움이 된 걸까. 아니면 이 나이에 젊은 구자육 앞에서 눈물을 보이는 게 부끄러워서일까.

만해거사는 거칠게 코를 푸는 것으로 마지막 눈물을 삼켰다. 그러고는 차분해진 어조로 조용히 말했다.

"사람들을 부르게. 내 벗의 죽음을 알리게. 내가 죽였다고……."

"아닙니다. 안 됩니다. 그 말씀은 하면 안 됩니다."

"그래. 내가 죽였다고는 하지 말게. 그 죄는 오롯하게 내 가슴에 묻어 두고 훗날 단단히 대가를 받을 터이니."

만해거사의 담담한 말투에 구자육은 속으로 안도의 한숨을 내쉬며 자리에서 일어났다.

"알겠습니다. 그럼 사람들을 불러오겠습니다."

문이 열리고 구자육이 밖으로 나갔다. 만해거사는 처연한 시선으로 초유동을 내려다보면서 입을 열었다.

"자네를 따라가고는 싶지만……."

그의 목소리는 여전히 물기에 젖어 있었다. 마차 밖에서 쏟아지는 폭우보다 훨씬 더 짙고 강렬한 물 냄새를 풍기는 물기였다.

"이해 좀 해 주게. 아직 할 일이 조금 남아 있다네. 무엇보다…… 자네의 그 어린 제자가 제대로 한 사람 몫을 해낼 수 있을 때까지는 돌봐 줘야 하지 않겠나?"

만해거사는 메마른 손으로 초유동의 얼굴을 쓰다듬으며 말을 이었다.

"걱정 말게. 다 정리되면…… 그때는 자네가 말리는 한이 있더라도 자네 뒤를 쫓을 테니 그때까지만 조금만 더 기다려 주게나."

만해거사는 유 노대의 시신을 앞에 두고 했던 말처럼 초유동에게도 그렇게 다짐하면서, 두 손을 들어 제 얼굴을 벅벅 문질렀다. 남아 있던 눈물과 울음기마저 모두 지워 없애려는 것이었다.

그때였다.

"사부! 괜찮으세요?"

설벽린이 놀란 목소리로 소리치며 마차 문을 왈칵 열었다. 그 뒤로 화평장 여인들의 모습이 보였다.

그리고 여인들 사이를 헤치고 마차 안으로 뛰어드는 소녀가 있었다. 이미 얼굴이 눈물로 범벅이 된 초목아였다.

"사부!"

초목아는 초유동의 품을 뛰어들어 껴안으며 울부짖었다.

"사부! 사부!"

만해거사는 이를 악물었다. 그러고는 가까스로 손을 들어 초목아의 머리를 쓰다듬으며 힘겹게 입을 열었다.

"네 사부는 좋은 곳으로 갔을 것이다. 앞으로 나를 두 번째 사부로 생각하도록 해라."

초목아의 귀에는 만해거사의 목소리가 전혀 들리지 않았다. 그녀는 초유동을 부둥켜안은 채 지쳐 쓰러질 때까지 울고 또 울었다.

"무슨 일이야?"

저 멀리 마차 밖에서 강만리의 목소리가 들려왔다. 다른 동료들의 목소리도 들리는 것 같았다.

새벽 내내 폭우가 쏟아지는 황야를 뛰어다니면서 세 조직을 교란한 무림오적이 때마침 귀환한 것이다.

5장.

마차(馬車)를 이용하는 방법

빚과 은혜는 돌고 도는 법이었다.
빚을 갚지 않으면 은혜가 되돌아올 리도 없었다.
물론 되돌려 받기 위해 은혜를 베푸는 사람은 많지 않겠지만,
어쨌든 세상 이치가 다 그런 법이었다.
은혜가 쌓여 공덕(功德)이 되고, 빚이 쌓여 업보(業報)가 되는 것이다.

1. 업보(業報)

마차 안에서 숙연함이 연기처럼 피어오르는 가운데, 강만리들은 초유동의 시신을 두고 논의 중이었다. 초목아는 울다 지쳐 혼절했고, 화평장 여인들과 함께 다른 마차로 옮겨진 후였다.

"참 공교롭군요. 뭐 돌아가신 분께 예의는 아니지만, 마치 지금 우리가 처한 상황을 보고 도와주기 위해서……."

"쓸데없는 소리."

강만리가 얼른 화군악의 말을 제지하며 눈짓을 건넸다. 만해거사가 옆에 있는데 함부로 그런 말을 하는 게 아니라는 눈짓이었다.

"커험."

화군악은 헛기침을 하며 얼른 화제를 돌렸다.

"그나저나 어떻게 하죠? 땅이 엉망이라 묻을 수도 없고, 그렇다고 화장도 힘들고……."

흙탕물이 발목 넘게 차오른 황야였다. 낮은 구릉이라도 있다면 모르되, 주변 어디에고 흙탕물과 진창 천지였다. 그러니 땅에 무덤을 만들어 안장(安葬)한다는 건 어림도 없는 일이었다.

그렇다고 화장을 하는 것도 확실히 힘든 일이었다. 무엇보다 화장할 만한 땔감을 구하는 것도 어려웠고, 이 폭우 속에서 불길을 유지하는 것도 어려웠다.

또한 불길을 내서 적들의 이목을 집중하게 만드는 것도 위험한 일이었다. 새벽 내내 이리 뛰고 저리 움직이면서 저들을 교란했던 모든 것들이 수포가 될 위험이 있었다.

"그래도 화장이 낫다."

강만리는 명쾌하게 정리했다.

"동굴 안에서 불을 피우면 된다. 물에 차오르기는 했지만 그래도 나무로 대(臺)를 쌓아 올리면 시신이 불에 타 재로 변할 때까지 유지할 수 있을 거야."

그렇게 말한 강만리는 만해거사를 돌아보며 동의를 구했다.

"사부께서는 어찌 생각하십니까?"

만해거사는 무심한 얼굴로 대답했다.

"나쁘지 않네. 수장보다야 당연히 화장이 낫겠지."

왠지 심드렁하게까지 느껴지는 말투에 사람들이 살짝 당황한 표정을 지었다.

화군악이 잠시 생각하다가 물었다.

"그런데 그만한 나무를 어디서 구한답니까?"

"마차가 있지 않느냐?"

강만리의 대꾸에 사람들이 움찔거렸다.

마차를 불쏘시개로 사용할 생각을 하다니.

강만리는 망설이지 않고 말을 이었다.

"지금 상황에서 마차는 무용지물이다. 진창에 바퀴가 빠져서 반 바퀴도 구르지 못할 테니까. 그냥 버리고 갈 바에는 태워 없애는 것도 나쁘지 않다. 어쨌든 초 어르신에 대한 마지막 공양이라고 생각하면 되니까."

"나쁘지 않은 생각이네."

담우천이 고개를 끄덕이며 말했다.

"마차가 젖기는 했지만 내부는 온전하니까. 금세 불타오를 걸세."

"그럼 그렇게 하기로 하죠. 한 대의 마차는 불태워 버리고, 다른 한 대의 마차는 교자처럼 이용하기로 하죠."

강만리는 미리 생각해 둔 바가 있다는 듯이 거침없이 말했다. 그리고 그의 제안은 공교롭게도 십삼매에게 무옹이 건넸던 말과 일맥상통했다.

"아이들과 임산부들까지 비를 맞게 할 수는 없습니다. 그러니 남은 마차를 부숴서 그들이 비를 피할 수 있을 정도의 자그마한 교자 몇 대를 만드는 겁니다. 어찌 되었든 이 폭우가 그칠 때까지, 혹은 폭우를 피할 곳이 나올 때까지는 그렇게 해서라도 움직여야죠."

"지금 당장 움직이려고?"

"네. 다행히 우리 모두 저들을 교란하는 데 성공했으니까. 그들이 서로의 꼬리를 물고 뜯어먹으려 하는 동안 우리는 재빨리 이곳을 빠져나가는 겁니다. 다시 저들의 이목이 우리에게 향하기 전에 말입니다."

강만리는 쉬지 않고 말을 이어 나갔다.

"사실 저들이 이전투구(泥田鬪狗)를 벌일 때 그 뒤를 급습하여 어부지리를 얻는 것도 나쁘지 않은 방법이기는 하지만, 오대가문의 후속대가 이곳을 향해 오는 중이니까요. 괜히 허투루 시간을 보내다가 그들과 마주치기라도 하는 날에는 그야말로 전면전이 일어날 겁니다. 조금 전에도 말씀드렸지만 우리에게는 아직 어린아이들과 임산부들이 있습니다. 싸움의 승리보다, 그들의 안위가 훨씬 더 중요합니다. 그러니 그들을 최대한 빨리 안전한 곳으로 피신시키는 게 우리가 해야 할 일이죠."

강만리의 말에 동의하지 않는 이가 없었다. 장예추가

입을 열었다.

"목수질은 조금 해 봤으니 제가 교자를 만들겠습니다."

강만리가 고개를 끄덕였다.

"그럼 자네가 양 당주와 함께 교자를 만들도록 하게. 크게 만들 필요가 없어. 네 명이 들기에 적당한 정도, 안에서 여인 둘과 아이 둘이 쉴 수 있을 정도의 크기면 돼."

"그 정도 크기로 세 대…… 아니, 네 대를 만들면 되겠군요."

"그렇지. 네 대면 차고 넘칠 거야. 필요 없는 물건들은 다 버리고 최대한 가볍게 가자고."

만해거사가 문득 중얼거렸다.

"일노가 더 슬퍼하겠구먼."

"네? 방금 뭐라 하셨습니까?"

"아니네, 아무것도."

강만리는 뭔가 수상쩍다는 눈빛으로 만해거사를 바라보다가 다시 구자육을 돌아보며 입을 열었다.

"무사들의 내공은 증진된 것 같나?"

"네. 별반 늘지 않은 이도 있지만 대부분 이십 년 정도의 내공이 늘었습니다. 그중 반 갑자 이상의 내공을 획득한 자도 있고요."

"그게 누군데?"

설벽린이 눈을 동그랗게 뜨며 물었다.

"반 갑자 이상의 내공이라니, 누가 그런 기연을 얻은 거야?"

"지금 그게 중요하냐?"

강만리가 혀를 차고는 장예추에게 말했다.

"그럼 그들 중 강건하고 내공 깊은 자들을 선별해서 교자꾼으로 삼도록 해. 우리 아이들과 부인들의 목숨을 책임지는 자들이니 최대한 신중하고 고르고."

"그리하죠."

"군악, 너는 고굉 녀석과 함께 마차를 부수고 대를 쌓도록 해라. 되도록 젖지 않은 나무를 찾아서 네 키 정도 쌓아 올려. 한 시진이면 되겠지?"

"그 안에 끝내죠."

"좋아. 그럼 다들 서둘러 움직이라고."

강만리가 손뼉을 치며 말했다.

"화장이 끝나자마자 바로 이동할 테니 나머지 사람들은 그 준비를 하고."

강만리의 지시에 따라 장예추와 설벽린과 정유 등이 마차 밖으로 나갔다.

화군악이 밖으로 나가려다가 머뭇거리며 뒤돌아보았다.

"왜?"

강만리가 눈을 찌푸리며 묻자 화군악은 헤헤 웃으며 대

꾸했다.

"이 마차를 부수려면 형님도 움직여야 하는데요."

강만리의 말문이 막혔다.

* * *

덤불숲 동굴 안, 마차를 부숴 나온 나무들이 차곡차곡 쌓여 대가 만들어지고 있었다.

두 대의 마차가 모두 부서진 까닭에 쉴 곳이 없게 된 화평장 여인들과 어린아이들은 동굴 한쪽에 모여 그 광경을 지켜보고 있었다. 보보가 칭얼거렸고 강정이 울음을 터뜨렸고 담창은 시끄럽게 떠들었다.

맞은편 구석 자리, 만해거사와 구자육과 함께 나란히 선 채 여인들이 아이들을 달래는 모습을 바라보던 강만리가 불쑥 입을 열었다.

"편히 가셨습니까?"

맞은편에서 고생하는 여인들에게 방해가 되지 않을 정도의 낮은 목소리였다. 만해거사는 물끄러미 대가 만들어지는 모습을 바라보면서 조용히 대답했다.

"그런 것 같네."

"다행입니다."

그렇게 고개를 끄덕인 강만리는 잠시 생각하다가 다시

불쑥 말했다.

"살아남기 위해 발버둥 치는 것뿐입니다. 우리의 대의는 끝까지 살아남는 겁니다. 그 와중에 무슨 일이 벌어지든, 우리가 살아남을 수만 있다면 괜찮은 겁니다. 상관없는 겁니다. 죽은 자를 위로해 주는 것도 결국 우리가 살아 있어야 가능한 일이니까요."

구자육은 문득 강만리의 옆얼굴을 돌아보았다.

이 미련 맞게 생긴 뚱뚱한 사내는 도대체 뭘, 어디까지 알고서 이런 식으로 말하고 있는 것일까.

잠자코 강만리의 이야기를 듣던 만해거사가 한숨을 쉬듯 입을 열었다.

"살아남기 위해 쌓은 업보를 어찌 감당하려고."

"살아가는 동안 갚아 나가야 하겠죠. 평생이 걸리더라도, 대(代)를 이어서라도 모든 빚을 갚아야 하지 않겠습니까? 자식이나 제자를 두는 건 자신의 대가 끊기지 않기 위함일 수도 있지만, 또 어찌 보면 자신이 갚다가 남은 업보를 마저 갚기 위함일 수도 있지 않겠습니까?"

"그럼 자네는 자네의 빚을 아정에게까지 갚게 할 생각인가?"

"물론 제가 다 갚아야죠."

강만리는 어느새 완성되어 가는 대를 바라보며 말했다.

"굳이 아들 녀석에게까지 제 빚을 물려줄 생각은 추호

도 없습니다. 제 빚은 제가 갚는 게 당연하죠. 하지만 만약 그렇게 노력하고도 남은 빚이 있다면, 당연히 아들 녀석이나 제자가 갚아야겠죠."

무심결이었을까, 아니면 의식적이었을까.

그렇게 말하는 강만리의 시선이 맞은편 강정에게로 향했다. 때마침 강정은 제 엄마, 예예의 품에 안겨 발버둥을 치는 중이었다.

저런 어린 꼬마에게 아버지의 빚을 지운다?

어쩌면 어림도 없는 소리일 수 있었다.

2. 화장(火葬)

쏴아아아!

폭우가 쉬지 않고 쏟아지는 가운데, 제대로 된 도구도 없으면서 뚝딱뚝딱 가볍게 마차를 해체한 사람들은 이리저리 나무들을 맞대면서 교자를 만들고 있었다.

어린 시절 부친과 숙부들과 함께 함정을 만들고 집과 움막을 만든 경험이 있던 장예추는 나름대로 솜씨 좋은 무사들과 함께 금세 교자 한 대를 만들었다.

바닥은 편안한지, 그리고 공간은 넉넉한지, 천장에서 비는 새지 않는지 확인하기 위해 교자 안에 들어가 눕고

뒹구는 그의 모습을 멀리서 바라보면서 강만리가 말을 이었다.

"미천한 생각인지는 모르겠지만 결국 업보는 공덕으로 상쇄하야 한다고 생각합니다. 빚을 많이 졌다면 그만큼 은혜를 베풀면 되지 않을까 싶습니다."

빚과 은혜는 돌고 도는 법이었다.

빚을 갚지 않으면 은혜가 되돌아올 리도 없었다. 물론 되돌려 받기 위해 은혜를 베푸는 사람은 많지 않겠지만, 어쨌든 세상 이치가 다 그런 법이었다. 은혜가 쌓여 공덕(功德)이 되고, 빚이 쌓여 업보(業報)가 되는 것이다.

잠자코 강만리의 이야기를 듣던 구자육은 힐끗 만해거사를 쳐다보았다.

오랜 벗의 목숨을 끊은 업보는 과연 얼마나 큰 공덕을 쌓아야 상쇄가 될까.

만해거사의 표정은 변함이 없어서 그가 무슨 생각을 하고 있는지 쉽게 알 수가 없었다. 강만리는 상관없다는 듯 어깨를 으쓱거리며 입을 열었다.

"뭐 협객불망원(俠客不忘怨)이라는 말도 있지 않습니까? 은혜든 원한이든 반드시 잊지 않고 갚아 주면 되는 것 아니겠습니까? 그게 강호에서 칼밥을 먹고 살아가는 소위 협객(俠客)이란 자들의 본분인 거겠죠. 아, 대가 다 만들어진 것 같군요."

강만리는 사람들을 불러 모았다.

나무로 쌓은 대 위에 초유동이 안치되었다. 분위기는 숙연했다. 누구 하나 웃는 이가 없었다.

조금 전까지만 하더라도 쉬지 않고 보채던 보보나 담정도 뭔가 다른 분위기를 느꼈는지 조용해졌다. 혼절했다가 정신을 차린 초목아는 나찰염요에게 안긴 채 하염없이 눈물을 흘리고 있었다.

제대로 예를 치르는 장례가 아니었다. 축원(祝願)도, 원왕생주(願往生呪)도 없었다. 그저 대 위에 초유동을 안치하고 만해거사가 말없이 장작에 불을 붙이는 게 전부였다.

불은 쉽게 타오르지 않았다. 아무래도 습기가 많고, 장작들도 살짝 젖어 있는 탓이었다.

지켜보던 일노가 밖으로 나갔다가 가죽 주머니 하나를 들고 돌아와 장작더미에 뿌렸다. 마차 바퀴나 이음새가 삐걱거리지 않고 원활하게 움직이게끔 해 주는 기름이었다.

기름이 뿌려지자 거짓말처럼 불길이 일었다. 불길은 거세가 타올랐고 금세 초유동의 시신을 휘감았다.

"사부……."

초목아는 차마 지켜볼 수 없었는지 고개를 돌렸다. 나찰염요와 예예들이 그녀의 등을 다독였다.

"나중에……."

만해거사가 중얼거렸다.

"술 한잔함세. 자네가 좋아하는 죽엽청 한 동이를 들고 찾아갈 터이니."

입안에서 웅얼거리듯 희미한 목소리였지만 주변에 있던 사람들은 모두 그 말을 들을 수 있었다. 누군가는 고개를 숙이고 누군가는 고개를 들었다.

사실 그들 중에서 초유동과 대화를 나누거나 안면을 튼 사람은 한 명도 없었다. 초유동을 처음 만났을 때부터 그는 가사 상태에 빠져 있었으니까.

그러나 만해거사의 심정만큼은 그들도 충분히 이해할 수 있었다. 형제 같은 동료를, 제 몸과 같은 벗을 보낸 경험 하나둘 정도는 다들 가지고 있었으니까.

불길이 더욱더 거세지는 가운데 쌓아 둔 대가 천천히 허물어지고 있었다.

* * *

"그럼 다 된 건가?"

강만리는 중얼거리며 하늘을 올려다보았다.

해가 보인다면 아마도 중천에서 서편으로 넘어가는 그 언저리에 있을 때였다. 하지만 여전히 하늘은 먹장구름으로 뒤덮여 있었고, 장대비는 쉬지 않고 쏟아졌다. 해는 보이지 않았다.

활활 타오르던 대의 불길은 꺼졌다. 불길에 휩싸였던 초유동의 시신은 재가 되었다. 초목아는 그 재 속에서 뼈 몇 개를 수습하여 손수건에 싼 다음 혁낭(革囊)에 간직했다.

만해거사도 뼈를 챙겼다. 그는 초목아와 달리, 아무도 보지 않는 사이에 그 뼈를 입에 넣고 우물거리다가 꿀꺽 삼켰다. 이로써 초유동은 만해거사와 한 몸이 되었다.

장예추의 주도하에 만들어진 네 대의 교자는 한나절에 만든 것치고는 상당히 튼튼하고 견고했다.

예예와 담정, 초목아가 한 대의 교자에 올랐고, 나찰염요와 소화, 보보가 다른 교자에 올랐다. 당혜혜는 홀로 교자를 타는 대신 정소흔, 화소군과 같은 교자에 오르는 걸 선택했다.

남은 한 대의 교자는 헌원 노대가 차지했다.

"싫네. 왜 나만 교자에 타는데?"

헌원 노대는 당연히 거부했지만 강만리는 완강하게 그를 설득했다.

"마차는 물론 말도 버리고 갈 겁니다. 다들 경공술을 펼치면서 최대한 빠르고 움직일 겁니다. 따라오실 수 있겠습니까?"

헌원 노대는 결국 꿀 먹은 벙어리가 되었고 마지못해 교자에 올라야 했다.

"노대가 심심하지 않도록 제가 곁에서 달리며 이야기 상대를 해 드리겠습니다."

설벽린의 말에 헌원 노대가 툴툴거렸다.

"이럴 줄 알았으면 나도 무공을 배워 두는 건데 말이다."

교자는 각각 네 명의 무사들이 들었다. 건장하며 발이 날랜 자들로 엄선하여 골랐다. 언뜻 보더라도 말 한 마리 정도는 등에 걸머진 채 하루에 오백 리 이상 달릴 것 같은 체구의 사내들이었다.

"지금 출발하면 조금 위험하지 않을까요?"

장예추가 다가와 묻자, 강만리는 아니라는 듯 고개를 저으며 말했다.

"최대한 빨리, 그러니까 흑제나 은자림이나 살막이 잔뜩 흥분했을 때 움직이는 게 좋아."

수하를 잃었다는 분노는 크다.

하지만 살수가 암살을 당했다는 수치심, 살수 따위에게 수하를 잃었다는 자존심과 무너진 체면 등등이 더욱 크게 수뇌부를 분노하게 만든다.

격정적인 분노는 감정을 극대화하고 시야를 좁게 만든다. 정상적인 사고를 할 수 없게 만들며 이성적인 판단을 내리지 못하게 한다.

그러나 그렇게 걷잡을 수 없이 순식간에 타오르는 분노는 또 금세 식고, 꺼지기 마련이다. 사라졌던 이성은 다시 돌아오고 좁아졌던 시야도 넓어진다.

그리하여 올바르게 형세를 판단하고 냉정하게 대국을 헤아릴 수 있게 되는 순간, 강만리가 꾸민 사상함미(蛇相銜尾)의 계략을 단번에 알아차릴 것이다.

그들은 멍청이가 아니었으니까. 다들 노회하고 경륜 많은 노괴물들이었으니까.

바로 그렇기에 그 전에, 놈들이 분노를 가라앉히고 이성을 회복하기 전에 출발해야 했다.

"게다가 지금 놈들은 상대의 꼬리를 물기 위해서 전력을 기울이는 참이니까."

강만리 일행을 감시하던 자들은 아침이 되면서 대부분 자취를 감췄다.

본진에서 급히 그들을 부른 까닭이었다. 흑제나 은자림이나 살막 모두 서로에게 예비 병력을 남겨 두고 상대할 수 있을 정도로 만만한 적들이 아니었으니까.

물론 모든 감시자가 사라진 건 아니었다. 어쨌거나 그들의 최종 목표는 강만리 일행이었으니 당연히 강만리들의 움직임을 지켜봐야만 했다.

하지만 몇몇 남은 자들은 자신들의 안위를 걱정한 듯,

기존의 자리에서 좀 더 후퇴하여 멀리 떨어진 위치에 몸을 숨기고 강만리들의 움직임을 주시하고 있었다.

사물이 확연하게 분간될 정도로 밝아졌다고는 하지만, 성난 폭우는 바로 눈앞을 가로막듯 희뿌연 물안개를 일으키며 내리퍼붓고 있었다. 무려 백여 장이나 떨어진 거리에서 강만리 일행의 사소한 움직임까지 관찰하는 건 확실히 무리인 상황이었다.

무엇보다 그들은 강만리 일행이 화장한 것도, 마차를 부수고 교자를 만든 것도 전혀 알아차리지 못했다.

"한꺼번에 움직이면 들킬 가능성도 있으니 천천히, 선발대가 먼저 출발하고 교자는 우리와 함께 가기로 합시다."

강만리는 병력을 세 조로 나눴다. 선발대는 화군악과 양위, 정유가 맡기로 했고 본대에는 자신과 고꾕, 만해거사가 남기로 했다.

그리고 후미는 담우천과 장예추가 맡아서 행여 있을지 모르는 추격대를 섬멸하는 임무가 주어졌다.

쏴아아!

어느덧 늦은 오후가 되었지만 여전히 그칠 기미가 없이 폭우는 쉬지 않고 쏟아졌다. 발걸음을 옮길 때마다 첨벙거리며 물보라가 튀었다. 사방이 진창이라 마치 갯벌이나 수렁에 빠진 것처럼 발을 떼기가 힘들었다.

"다들 조심하도록."

강만리의 마지막 당부와 함께 선발대가 은밀하게 이동하기 시작했다.

비록 폭우가 쏟아지고 물안개가 시야를 가리고 땅은 온통 진흙밭이라 하더라도, 화군악과 정유 등에게는 아무런 방해가 되지 않았다.

그들은 지면 위를 나는 듯 경쾌하고 빠르게 경공술을 펼쳤다. 그들이 이끄는 무사들 또한 예전과는 전혀 다른 몸놀림으로 진흙탕을 빠져나가 순식간에 시야에서 사라졌다.

선발대의 모습이 쏟아지는 폭우에 가려 보이지 않게 되자 강만리는 담우천을 돌아보며 말했다.

"모두 죽여 주십시오."

3. 이전투구(泥田鬪狗)

담우천은 고개를 끄덕였다.

"그렇게 함세."

"죄송합니다. 매번 귀찮고 힘든 부탁을 드려서."

"됐네. 우리 식구를 위한 일인데 귀찮고 힘들 리가 있겠는가."

"그럼 먼저 출발하겠습니다."

강만리는 네 대의 교자와 함께 바로 움직였다.

건장한 사내들이 네 대의 교자를 든 채 푹푹 빠지는 진창을 딛고 북쪽으로 달려 나갔다. 진흙탕을 박차고 달리는 그들의 다리에서 힘이 넘쳐흘렀다.

그들은 상당한 악조건 속에서도 생각보다 훨씬 빠르게 지면을 차며 내달렸다. 며칠 전 만해거사와 구자육을 통해 복용했던 영약의 힘이, 내공의 위력이 발휘되는 순간이었다.

후발대는 조촐했다. 담우천과 장예추, 그리고 다섯 명밖에 남지 않은 무사들은 본대와 교자가 폭우 저편 북쪽으로 사라지는 것을 묵묵히 지켜보다가 몸을 돌렸다.

담우천이 무사들에게 말했다.

"자네들은 우리가 돌아올 때까지 이곳을 지키고 있도록."

무사 중 한 명이 조심스레 입을 열었다.

"저희도 도움이 될 것 같습니다만……."

담우천은 냉정하게 말했다.

"이곳에 남아 있는 게 도움을 주는 거다."

무사들의 안색이 딱딱하게 굳어졌다. 장예추가 속으로 한숨을 내쉬고는 그들에게 말했다.

"언제 적들이 기습할지 모릅니다. 만약 이곳이 텅 비어 있다는 게 저들에게 알려진다면 그것처럼 낭패가 없겠죠. 그러니 여러분은 이곳에 숨어 있다가 적이 기습해 오면 모두 섬멸해야 합니다. 담 형님이 도움 운운한 건 바로 그러한 이유입니다.”

무사들은 그제야 이해했다는 듯 고개를 끄덕이며 말했다.

“맡겨진 임무, 분골쇄신(粉骨碎身)하여 완수하겠습니다.”

“저희만 믿고 다녀오십쇼!”

“그럼 잘 부탁합니다.”

장예추는 그렇게 마무리를 지은 다음 담우천을 이끌고 자리를 벗어났다. 지면과 맞닿은 것처럼 낮은 자세로 경공술을 펼치던 담우천이 문득 고개를 갸웃거리며 입을 열었다.

“나는 그런 뜻으로 한 말이 아닌데…….”

“저도 압니다.”

장예추는 차분한 어조로 말하다가 궁금한 표정을 지으며 말을 이었다.

“그런데 말입니다. 사선행자 시절에도 수하들에게 저리 대했습니까?”

“달라진 건 없다.”

“아아…… 정말 힘들었겠네요.”

장예추는 일순 나찰염요를 비롯한, 담우천의 휘하에 있던 사선행자들을 떠올리며 중얼거렸다.

담우천이 고개를 끄덕이며 말을 받았다.

"그래. 정말 힘들었지. 녀석들이 제대로 내 말을 듣지 않았거든."

"그게 그러니까…… 아니, 아무것도 아닙니다."

장예추는 입을 다물었다.

어찌 보면 이런 담우천과 제대로 대화를 나누는 강만리가 참 대단하다는 생각이 언뜻 그의 뇌리를 스쳐 지나갔다.

* * *

화군악은 뒤를 힐끗 돌아보았다. 십여 명의 무사들은 그리 뒤처지지 않은 채 화군악들을 빠르게 쫓아오고 있었다.

"영약이 좋기는 좋군그래."

화군악은 입맛을 쩝쩝 다시며 중얼거렸다.

"사람 체질에 따라서 약이 잘 듣고 전혀 안 듣고 그런가 봐. 나는 내공이 높아진 걸 느끼지 못하겠던데. 반 갑자 이상이나 높아진 사람도 있다는 걸 보면."

화군악도 다른 일반 무사들과 함께 만해거사와 구자육이 조제한 영약을 복용했다. 하지만 그는 벌써 몇 번이나 운기조식을 했음에도 불구하고 전혀 내공의 증진을 느끼지 못하고 있었다.

만해거사와 구자육이 조제한 영약의 성분은 모두 황궁보고에서 가지고 나온 영약들이었다.

일반 무사들의 내공 증진을 위해서 나찰염요는 만년화리의 내단을 통째로 내놓았고 담우천은 황금인형설삼을, 정소흔은 공청석유를, 그리고 예예가 천년하수오를 각각 절반 이상 만해거사와 구자육에게 건넸다.

그 영약들은 어느 하나만 복용해도, 약효를 제대로 받는다면 환골탈태(換骨奪胎)과 반박귀진(返璞歸眞)에 이르는 내공을 얻을 수 있는, 그야말로 꿈의 영약들이었다.

만해거사와 구자육은 다른 약재들과 그 영약들을 한데 모아 끓여 탕약(湯藥)을 만들었고, 담우천부터 시작하여 모든 무사들과 화평장 식구들, 심지어 어린 보보와 강정까지 복용하였다.

어쩌면 보보와 강정이 요 며칠 동안 심하게 투정을 부리고 칭얼거리는 건 그 탕약 때문인지도 몰랐다.

어쨌든 그렇게 탕약을 한 모금씩 마신 일반 무사들은 최소한 십 년 이상의 내공이 늘어나는 효과를 보았다.

그러나 화군악을 비롯, 이미 내공이 절정에 이른 고수들은 아쉽게도 미처 그 효능을 보지 못하고 있었다.

“아직 자네가 그 약효를 제대로 받아들이지 못해서 그

럴 걸세."

정유가 웃으며 말했다.

"그러는 형님은 내공이 좀 늘었습니까?"

"아니. 나도 전과 다를 바가 없는 것 같더군."

"흠, 그럼 약효를 제대로 받아들이지 못한 게 아니라, 이미 내공이 높은 까닭에 한 모금의 영약으로는 별 효과가 없는 것일 수도 있겠네요."

"그건 아니라고 생각하네."

문득 정유의 표정이 진지해졌다.

빠른 속도로 세찬 장대비 사이를 뚫고 날아가는 중이었으나, 마치 차를 마시며 느긋하게 대화를 나누는 것처럼 그들의 모습은 평온하고 안정되어 보였다.

"연못에 물 한 바가지 붓는다고 해서 연못 수면이 높아지는 건 아니겠지만, 어쨌든 물이 늘어난 것만큼은 확실하지 않은가? 반면 술잔에 가득 술이 담겨 있을 때, 한두 방울만 떨어뜨려도 술이 넘쳐흐르는 예도 있지 않은가?"

화군악은 정유가 하는 말의 의미를 몰라 고개를 갸웃거렸다. 그에 정유는 다시 싱긋 웃으며 말을 이었다.

"어쨌든 너무 부러워하지 말게. 분명 언젠가는 그 한 모금의 탕약 덕분에 자네가 큰 도움을 받을 때가 있을 테니 말일세."

"누가 부러워한다고 그러십니까?"

"응? 부러워하는 기색이 역력한데?"

"아휴, 저를 너무 쪼잔한 놈으로 만드시는군요."

화군악이 삐친 척 입술을 내밀 때였다.

"쉿!"

정유의 안색이 급변하는 동시, 그는 빠르게 신형을 멈추며 몸을 낮췄다. 동시에 손을 들어 뒤따라오는 무사들에게 신호를 보냈다.

화군악과 양위는 물론, 십여 명의 무사들 모두 경공술을 멈추고 바로 그 자리에서 몸을 낮췄다. 그들의 어깨까지, 황야의 낮게 자라 있는 풀들과 함께 흙탕물 속에 잠겨 들었다.

쏴아아아!

쟁! 쟁!

귀청이 떠나갈 듯 장엄하게 퍼붓는 폭우 저편에서 칼부림 소리가 희미하게 들려왔다.

정유와 화군악은 눈을 가늘게 뜨고 소리가 들려오는 방향을 주시했다. 거뭇한 무언가가 백여 장 밖에 있었다.

"아, 강 형님이 말한 그 숲이로구나. 살막 살수들이 숨어 있다던."

화군악이 그 거뭇한 그림자를 보고 고개를 끄덕이며 말하자 양위가 속삭이듯 물었다.

"누구와 싸움이 붙은 걸까요?"

정유가 대답했다.

"흑제 무리일 것이오. 담 형님과 예추가 살막의 살수로 위장하여 흑제를 공격했으니, 그 복수를 위한 선발대가 살막의 은신처를 기습했을 것이오."

"그렇다면 살막은 은자림을 공격하기 위해 움직이지 않은 겁니까?"

"아니, 대부분 살수는 은자림을 공격하기 위해 은신처를 떠났을 것이오. 지금 싸우고 있는 자들은 은신처에 남아 있던 경비들일 것 같소."

정유는 미처 그 속사정을 지켜보고 있었던 것처럼 정확하게 추측했다.

"그럼 잠시 기다렸다가 모두 해치울까요?"

화군악이 살짝 들뜬 목소리로 말하자 정유는 고개를 저었다.

"굳이 그럴 필요 없네. 예서 본대를 기다렸다가 우회하도록 하지. 저들이 이전투구(泥田鬪狗)를 하는 동안 우리는 몰래 빠져나가는 게 최선의 방법이라고 생각하네."

이전투구는 곧 진흙밭에서 싸우는 개들을 의미했다. 확실히 지금 황야는 온통 진흙밭이었고, 저들은 앞뒤 가리지 않고 서로를 죽이려 싸우는 개들과 같았다. 굳이 그 난장판에 끼어들어 힘을 낭비할 필요는 없었다.

화군악는 살짝 아쉬운 표정을 지었지만, 정유의 말이

정론임을 부인하지는 못했다.

그들이 신형을 멈추고 몸을 숨긴 지 반 각도 채 안 되어서 본대가 달려왔다. 양위가 얼른 돌아가 그들의 앞길을 막았다.

아무리 건장하고 내공이 증진되었다지만 무거운 교자를 메고 이 진창을 달려오는 건 제법 힘들었는지, 교자꾼들은 격한 숨을 내쉬고 있었다.

양위에게 이야기를 들은 강만리는 고개를 끄덕이고는 교자꾼들을 교대한 후, 선발대를 앞세워 북쪽으로 방향을 틀고 달리기 시작했다.

거뭇한 숲이 폭우 저편으로 사라질 때까지, 그곳에서는 병장기 부딪치는 요란한 소리와 함께 격한 함성과 고함, 비명이 쉬지 않고 들려왔다.

강만리는 그 싸움의 결과가 전혀 궁금하지 않았다. 결국 누가 이길지 뻔히 알고 있기도 하거니와, 지금 중요한 건 최대한 빨리 이 격전의 현장을 벗어나는 일이었기 때문이었다.

쏴아아아!

날이 어두워지는 가운데, 여전히 폭우는 이 모든 세상을 집어삼킬 것처럼 쉬지 않고 쏟아졌다. 유주의 황야는 이미 물바다가 된 지 오래였다.

6장.

참으로 기묘한 형국(形局)

미래라는 건 결국
불확실한 가정하에서 생겨나는 수많은 불투명한 선(線)들이,
서로 교차하고 어긋나면서 만들어지는 길이었으니까.

1. 차도살인(借刀殺人)

그것은 참으로 기묘한 형국(形局)이었다.

* * *

살막의 기습을 받았다고 오해한 북방흑제 현명군은 강만리와 살막, 그리고 은자림이 합종연횡(合從連橫)을 했을 가능성이 크다고 생각했다.

만약 그게 사실이라면 자칫 오대가문의 후발대를 마중나간 흑승과 중합이 위험할지도 몰랐다.

그는 곧 자신의 무리를 둘로 나눠 규환과 아비가 이끄

는 자들을 흑승과 중합에게 구원군으로 보내고, 자신은 청련과 홍련의 수하들과 함께 직접 살막의 뒤를 치기로 결정했다.

아무리 시야가 어둡고 폭우가 쏟아지고는 있다 하나, 북방군의 진지는 그야말로 철옹성에 가까웠다.

그러나 살막의 살수는 그 철옹성 같은 진영의 틈새를 비집고 들어와 현명군의 막사 바로 앞까지 잠입해 왔다. 만약 현명군이 조금만 더 늦게 눈치챘다면 어쩌면 막사에 있던 이들 모두 목숨을 잃었을지도 모르는 일이었다.

살막이 아무리 천하 삼대 살수조직 중 하나라고는 하지만 그 정도 실력을 지닌 자는 그야말로 손에 꼽을 정도였다. 살막의 막주가 직접 나서지 않은 이상, 오마신 중 한 명 혹은 두 명 이상이 이곳 유주에 출몰한 게 분명했다.

현명군이 직접 살막을 치기로 한 것도 바로 그런 이유에서였다. 한두 명이라면 모르겠지만 행여 세 명 이상이라면 청련과 홍련만으로는 그들을 상대할 수가 없었다. 그래서 그는 꽤 오래간만에 직접 사람을 베기 위해 낭아도를 쥐고 이곳 숲으로 향했던 것이다.

하지만 숲에는 잔챙이 몇 명만 남아 있었다. 오마신을 비롯하여 금면 혹은 은면의 살귀들이 가득 들어차 있어야 할 장소에는 불과 서너 명의 은면, 그리고 일고여덟 명의 혈면(血面)을 뒤집어쓴 자들만이 남아 있었다.

현명군이 직접 나서서 낭아도를 휘두를 필요도 없었던 게다.

"은면은 죽이지 마라! 팔 하나, 다리 하나는 잘라도 상관없다! 죽이지만 마라!"

현명군은 죽은 수하들의 복수에 혈안이 된 청련과 홍련을 향해 크게 소리쳤다.

"군주의 명령이 네놈들의 목숨을 살렸다!"

청련과 홍련은 이를 갈며 은면의 살귀들을 공격했다.

비록 잔챙이라고는 하지만 은면삼십육살 중 네 명은 결코 만만한 자들이 아니었다. 어쨌든 그들은 천하의 살막에서 오마신, 금면구마(金面九魔) 다음가는 살수들이었으니까.

네 명의 은면과 여덟 명의 혈면사신들은 끝까지 저항했다. 비록 세 배가 넘는 압도적인 숫자에 포위되어 있었지만 누구 하나 겁을 먹거나 투항하는 이가 없었다.

외려 그들은 늑대 무리에 둘러싸인 호랑이들처럼 이리저리 마구 날뛰며 역습을 가했다.

하지만 결국 그들은 호랑이가 아니었으며, 북방군 또한 늑대 무리가 아니었다. 여덟 명의 혈면사신은 모두 사지가 절단된 채 목숨을 잃었으며, 두 명의 은면삼십육살 또한 팔다리가 하나씩 잘려 나간 채 현명군의 앞에 무릎을 꿇어야 했다.

"두 명은?"

현명군이 눈살을 찌푸리며 물었다. 청련이 부끄러운 표정을 지으며 대답했다.

"죄송합니다. 입안에 독을 물고 있을 거라고는……."

"허어, 그게 살수들의 기본이거늘."

현명군은 혀를 찼다.

일반적으로 살수나 세작(細作)은 적에게 잡히는 걸 대비하여 이와 이 사이에 독약을 끼워 놓는다. 위급한 상황에 처하게 되면 그 독약을 질끈 깨물어 자결하는 게 바로 그들의 마지막 임무였다.

그걸 홍련과 청련이 모를 리가 없었다. 현명군은 무릎을 꿇고 있는 두 명의 은면 너머로, 형체를 알아볼 수 없을 정도로 난도질을 당한 두 구의 시신을 볼 수 있었다.

'무참히 두 명을 살해한 것으로 조금이나 화를 풀었을까?'

현명군은 속으로 그런 생각을 하며 천천히 입을 열었다.

"살막의 본진은 지금 어디에 있지?"

물론 두 명의 은면은 입을 열지 않았다. 현명군이 한숨을 쉬며 말했다.

"괜히 시간 낭비하지 말자. 결국에는 털어놓게 될 일, 서로 편하게 가자."

은면들은 아무 말도 없이 살기등등한 눈으로 현명군을 쏘아보았다. 현명군은 홍련과 청련을 돌아보며 말했다.

"죽이지만 마라."

홍련과 청련이 기뻐하며 대답했다.

"네. 죽이지는 않겠습니다."

* * *

집을 지키라고 남겨 둔 수하들이 그렇게 몰살당하는 동안, 살막의 본진은 서쪽으로 은밀하게 움직여 은자림의 본영을 기습하고 있었다.

살막 또한 강만리 일행을 노리는 게 자신들만이 아님을 이미 알고 있었다. 그리고 당연히 은자림과 북방군이 어느 지역에 진영을 꾸리고 있는지도 미리 파악해 두었다.

그렇게 나름대로 대비를 하고 있었지만, 태백현인이 직접 나서서 자신들을 기습할 줄은 전혀 생각하지 못했다.

'왜? 태백현인이 직접 우리를?'

의아함은 잠깐이었다. 살막은 그게 은자림의 경고라고 생각했다.

—이자들은 은자림의 것이다. 분수를 알고 물러나도록

태백현인이 직접 나선 건 바로 그러한 경고를 살막에게 했던 것이리라.

왕야상과 최자는 코웃음을 쳤다.

"은자(隱者)라면 은자답게 어디 외딴곳에 숨어서 나오지 말 것이지."

"언젯적 태백현인이란 말인가? 그리고 우리 살막이 은자림 따위를 두려워한다고 생각했다면 그야말로 오산이다."

대자객교와 은자림, 살막은 살수계를 삼분(三分)하고 있는 거대 조직이었다. 하지만 세인(世人)들의 인식에는 그 위상이 조금씩 차이가 있었다.

살수 개개인이 강하기로는 대자객교가 최고였고, 살행이 완벽하기로는 은자림이 으뜸이었다. 그것에 비해 살막은 살수의 수가 많고 세력이 클 뿐이라는 게 세상 사람들의 일반적인 인식이었다.

"그래도 살수계의 원로들이라 예를 갖춰 대접해 드렸더니, 아예 우리를 뒷골목 건달로 생각하나 보군그래."

"뭐, 그쪽에서 먼저 인사를 했으니 우리도 가만히 있으면 안 되겠지. 아주 정중하고 화려하고 입이 다물어지지 않을 정도로 갚아 주는 게 예의일 터."

왕야상과 최자는 열 명 정도의 수하만을 숲속에 놔둔 후, 금면과 은면, 그리고 혈면까지 모두 동원하여 은자림을 기습했다.

그러나 놀랍게도, 혹은 당황스럽게도 은자림의 본영 또한 열 명 정도의 경비 무사를 제외하고는 텅 비어 있었다.

"모두 죽이지 마라! 최소한 세 놈은 반드시 살려 두어야 한다!"

거의 비슷한 시각, 북동쪽 숲에서 현명군이 소리쳤던 그 내용 그대로 왕야상과 최자가 동시에 소리쳤다.

또한 잠시 후, 왕야상과 최자는 자신들의 앞에 무릎을 꿇린 세 명의 은자림 살수들에게 역시 현명군이 말했던 것과 비슷한 질문을 던지고 있었다.

"태백현인은 어디 간 게냐? 다른 자들은?"

* * *

그때 태백현인은 은자림의 살수들을 이끌고 흑승과 중합의 뒤를 기습하려던 참이었다.

담우천과 정유의 기습을 북방군의 짓이라 오해한 태백현인은 현명군을 직접 치기 전에 먼저 오대세가의 후발대를 저지하기로 결정했다.

오대세가의 후발대가 현명군과 합류하게 된다면 그때는 아무리 태백현인이라 할지라도, 은자림의 살수들이라 할지라도 어찌할 수 있는 게 하나도 없게 되니까.

태백현인은 이곳으로 오는 와중에 흑승과 중합의 무리가 남하하는 광경을 볼 수 있었다. 그들이 마중을 나간다는 건 곧 오대세가의 후발대가 현명군들의 정확한 위치를 모르고 있다는 의미이기도 했다.

유주의 황야는 생각보다 훨씬 광활했고 사나웠으며 위험했다. 자칫 길을 잃으면 한 달 이상이나 황야를 헤맬 수도 있었다.

그러니 흑승과 중합 무리만 없앴다면 후발대가 현명군에게 합류하는 걸 최대한 늦출 수 있었다.

아니, 아주 많이 늦출 것까지도 없었다.

사흘. 사흘만 만나지 못하게 한다면, 그동안 현명군을 비롯한 모든 북방군 무리를 암살할 자신이 있었다. 그리고 그건 어려울 리가 없었다. 늘 해 오던 일이었으니까.

그렇게 태백현인이 모든 수하를 이끌고 흑승과 중합의 뒤를 기습하려 은밀하게 움직이고 있을 때, 현명군의 지시를 받은 규환과 아비가 삼십여 명의 수하들을 이끌고 그곳으로 달려가고 있었다.

태백현인과 그들 중 누가 빨리 흑승과 중합의 무리에 닿느냐에 따라서 아마도 그 이후의 형국은 크게 달라질 것이다. 또 어쩌면 그리 달라지지 않을지도 모르는 일이었다.

미래라는 건 결국 불확실한 가정하에서 생겨나는 수많

은 불투명한 선(線)들이, 서로 교차하고 어긋나면서 만들어지는 길이었으니까.

* * *

그것은 참으로 기묘한 형국이었다.

만약 누군가 높이 날아 저 먼 하늘에서 내려다본다면 세 개의 기다란 뱀이 서로의 꼬리를 물고 물리는 모습을 지켜볼 수 있었을 것이다.

그리고 그 기묘한 형국이, 강만리가 만들어 낸 차도살인지계(借刀殺人之計)라는 것도 손쉽게 알아차릴 수 있었을 것이다.

하지만 대지 위를 달리는 사람들은, 아쉽게도 하늘에서 내려다보는 눈을 가지고 있지 않았다.

그래서였다. 이 모든 기묘한 형국이 결국 누군가의, 아마도 강만리라는 자의 차도살인지계였음을 깨닫게 되는 건 이로부터 꽤 시간이 지난 후의 일이었다.

2. 가지 않은 길

"모두 해치울까요?"

북동쪽 숲을 지나치면서 화군악이 그렇게 물었다. 만약 그때 정유가 고개를 끄덕였으면 어떻게 되었을까.

그 숲에는 북방흑제 현명군과 홍련, 청련을 비롯한 사십여 명의 북방군이 있었다. 화군악과 정유, 양위를 비롯한 십여 명의 화평장 무사들이 숲으로 뛰어 들어갔다면, 과연 그 승자는 누가 되었을까.

미래는 그런 법이다.

하나의 나무에서 수십 개의 가지가 나고 다시 가지마다 또 다른 수십 개의 가지가 나는 것처럼, 지금에서 미래로 이어지는 길은 우연과 선택과 인연 등을 통해 달라지게 된다.

그러니 가지 않은 길의 미래는 알 수 없는 법이다. 그 길이 장미가 뿌려진 탄탄대로(坦坦大路)인지 가시밭투성이의 험로(險路)인지는 누구도 알지 못했다.

하지만 미래는 나무가 아니었다.

하나의 몸통에서 갈려져 사방팔방으로 뻗어 나가는 나뭇가지와는 달리, 미래로 이어지는 선은 어긋나고 교차하기를 반복하면서 어느 한순간, 가지 않았던 길과 이어지기도 한다.

즉, 그 길을 선택하지 않았다 하더라도 운명적으로 만나는 결과가 있다는 것이다.

물론 그 운명 역시 오로지 앞만 보고 한 길만 걸어가는 사람이라면 전혀 알 리가 없었다.

* * *

지금의 상황이 매우 기묘하고 수상쩍다는 사실을 맨 처음 알아차린 이는 역시 북방흑제 현명군이었다.

그의 앞에는 한 명의 온전한 은면과 온몸이 갈기갈기 찢어져 걸레처럼 변한 은면이 있었다.

온전한 모습의 은면은 이를 악문 채 눈물을 흘렸으며, 온몸이 갈기갈기 찢어진 은면은 정신이 혼미한 와중에서도 끊임없이 헛소리처럼 중얼거리고 있었다.

"말하지 마, 말하지 마……."

얼마나 지독한 고문을 당한 것일까.

이는 다 빠졌고, 손톱과 발톱도 보이지 않았다. 피부는 반쯤 벗겨져 있었고, 그 벗겨진 곳에 소금이라도 뿌렸는지 아직도 부글부글 하얀 거품이 일고 있었다.

애당초 살수나 세작은 고문에 강했다. 살수나 세작이 되기 위해서는 따로 고문에 대한 교육을 받아야만 했다. 그들은 그 교육을 받는 동안 고통을 참는 법, 두려움을 떨치는 법, 겁을 내지 않는 방법 등을 익혔다.

그러니 살막의 은면 정도라면 어지간한 고문으로는 눈 하나 깜빡하지 않을 터였다.

하지만 청련과 홍련은 사람을, 특히 사내를 제대로 고문하는 방법에 대해 너무나도 잘 알고 있었다. 지난 정사대전 당시 그녀들은 수많은 백도의 영웅호걸들을 핍박하고 고문하여 많은 정보를 토해 내게 했던 전력이 있었다.

그중 하나가 바로 지금처럼, 질문에 대답하지 않는 자가 아니라 그 동료를 고문하는 방법이었다.

"네가 대답하지 않으면 네 동료가 고통을 겪게 될 것이다."

홍련은 으름장처럼 말하며 맛보기 삼아 한 사내의 손가락을 부러뜨렸다. 사내는 역시 살막의 살수답게 조금도 움찔하지 않았다.

청련이 물었다.

"본진은 어디로 갔지?"

온전한 은면은 대답하지 않았다. 홍련은 방금 손가락을 부러뜨렸던 사내의 손톱을 뺐다. 사내는 신음도 흘리지 않았다.

"왜 우리를 습격한 거지?"

청련이 다시 물었다. 은면의 눈동자가 사뭇 흔들렸다. 홍련은 사내의 이를 하나씩 빼기 시작했다.

질문은 계속 반복되었고 고문은 쉬지 않고 이어졌다. 처음으로 사내가 움찔한 것은 홍련이 자신의 피부를 얇게 벗기기 시작했을 때였다.

바위처럼 단단하고 거송(巨松)처럼 움직이지 않던 그 사내의 입에서 미약하나마 신음이 흘러나온 건, 홍련이 그 벗긴 피부 사이로 상비하고 있던 소금을 뿌렸을 때였다.

물론 그런 육체적 고문만이 전부가 아니었다. 사내의 아랫도리가 벗겨지고 홍련은 그의 뒷구멍에 나뭇가지를 박았다. 고통보다 참을 수 없는 치욕이 사내의 전신을 휘감았다.

온전한 상태의 은면은 제 앞에서 동료가 고문을 당할 때마다, 치욕을 겪을 때마다 이를 악물었다.

자신이 겪는 고통과 치욕은 참을 수 있었지만, 자신으로 인해 동료가 고통과 치욕을 당하게 되는 건 견딜 수가 없었다.

수십 년 동안 생사의 고락(苦樂)을 함께한 동료가 꿈틀거리며 미약한 신음을 애써 참는 모습은, 확실히 제대로 된 사내라면 견디기 어려운 일이었다.

고문을 받던 사내가 자신의 의지와는 다르게 오줌을 싸고 똥을 지리게 되었을 때, 결국 그의 동료는 입을 열고 말았다.

"우리는 기습한 적이 없다."

그게 은면의 첫마디였다.

"거짓말."

청련이 비웃고 홍련이 재차 고문을 시도하려 할 때, 현명군이 그녀들을 말렸다.

"멈춰라."

침묵으로 일관하던 은면이 입을 연 것이다. 굳이 기습한 적이 없다고 발뺌할 이유도 없었다. 조금 더 이야기를 들어 봐야 했다.

현명군은 은면을 바라보며 물었다.

"우리를 기습한 적이 없는가?"

"없다."

은면은 코웃음을 치며 말했다.

"우리가 기습당한 적은 있지만."

"기습을 당해? 누구에게?"

한 번 입을 열었기 때문일까. 은면은 순순히 대꾸했다.

"은자림의 태백현인이 살수들을 이끌고 기습해 왔다."

'으음?'

현명군의 눈이 휘둥그레졌다.

'합종연횡이 아니었던 겐가?'

은면의 말이 사실이라면 애당초 강만리, 은자림, 살막으로 이어지는 합종연횡은 오로지 현명군만의 착각이자 망상이 되는 셈이었다.

현명군은 저도 모르게 눈살을 찌푸리며 물었다.

"그럼 본진은 지금 은자림을 공격하러 간 게로군."

은면은 대답하지 않았지만 현명군은 그게 사실임을 짐작할 수 있었다. 그리고 살막이 처한 상황과 자신들의 상황이 똑같다는 사실까지 알아차릴 수 있었다.

일순 그의 표정이 급변했다.

'차도살인!'

차도살인(借刀殺人)은 남의 칼을 빌려 사람을 죽인다는 것, 곧 타인을 이용하여 적이나 난관을 해치운다는 의미였다. 어쩌면 지금 강만리의 차도살인지계에 당한 것인지도 몰랐다.

'그렇다면 살막은?'

살막도 은자림의 기습을 받고 복수를 하러 떠났다고 했다, 마치 흑제 현명군처럼 말이다.

그 또한 강만리의 술수가 아닐까?

생각하면 생각할수록 은자림이 느닷없이 살막을 기습하는 것보다 강만리의 또 다른 차도살인인 가능성이 더 농후했다.

만약 그렇다면 은자림 또한 누군가의 기습을 받고 북방흑제의 짓이라고 오해하지는 않았을까. 그 복수를 하기 위해서 은자림은 지금의 살막처럼 전력을 이끌고 북방군의 진영을 기습하고 있지는 않을까.

마치 현명군이 살막의 빈 진영을 기습한 것처럼. 또 살막이 은자림의 빈 진영을 기습하고 있는 것처럼.

'이런…….'

현명군의 얼굴이 일그러졌다.

이건 마치 세 마리의 뱀이 서로의 꼬리를 잡아먹고 있는 형국이었다.

그랬다. 차도살인지계보다 한 단계 위의 사상함미. 바로 그 계략에 빠진 것이다.

'아니, 애당초 왜 살막의 기습이라고 단정한 거지?'

강만리의 기습일 수도 있었는데 굳이 살막의 소행이라고 단정했던 것부터 실착이었다. 그리고 현명군이 그렇게 실착을 두게 만든 건 바로 홍련과 청련의 고집스러운 주장 때문이었다.

'바보 같은 년들!'

현명군은 홍련과 청련을 잡아먹을 듯이 노려보았다.

고문을 통해 원하는 대답을 끌어낸 결과에 만족한 듯 자랑스러운 표정을 짓고 있던 두 여인은 갑작스러운 현명군의 살기등등한 눈빛에 의아한 표정을 지었다.

하지만 그녀들은 그 살기가 자신들이 아닌, 살막을 향하는 살기라고 제멋대로 추측했다.

그래서였다, 두 여인이 앞다퉈 입을 연 것은.

"그럼 당장 살막의 뒤를 쫓을까요?"

"놈들이 은자림과 싸우는 동안 그 뒤를 치는 겁니다."

'역시 바보들이다.'

현명군은 속으로 한숨을 내쉬었다.

은자림의 본영은 텅 비어 있을 테고, 그들의 전력은 지금 몇 명의 보초만 남겨 둔 북방군의 진지를 공격하고 있을 것이다. 이런 상황에서 살막을 뒤쫓아 은자림을 치다니, 도대체 상황 파악이 어디까지 안 되는 것이냔 말이다.

무엇보다 강만리들은?

이렇게 사상함미의 계략으로 세 조직을 서로 물리고 물게 만든 그자는 과연 지금까지 그 덤불숲에 남아 있을까?

당연히 아닐 것이다. 세 조직이 이전투구를 하는 모습을 비웃으면서 유유히 그곳을 떠나 북쪽으로 달아났을 것이다.

'정말이지, 너구리 같은 놈이다.'

영악하고 교활하기 짝이 없는 놈이다. 어떻게든 잡아서 그 심장과 간을 잘근잘근 씹어먹고 싶을 정도로 얄미운 놈이다.

하지만 지금은 그럴 때가 아니었다. 그보다 먼저 취해야 할 행동이 있었다.

현명군은 짧게 말했다.

"돌아간다."

"네?"

"돌아간다니요?"

"은자림은 지금 우리의 진영을 기습하고 있을 것이다."

"우리를요?"

"은자림이 왜요?"

두 여인이 의아해하며 물을 때, "아!" 하는 탄성이 은면의 입에서 튀어나왔다. 그는 현명군의 말에서 지금 이 기묘하고 수상쩍은 형국의 진실을 알아차린 것이다.

"쯧쯧."

은면 따위보다도 못하다니.

현명군은 냉랭한 어조로 말했다.

"만약 은자림의 태백현인이 머리를 쓸 줄 안다면, 중합과 흑승이 위험해질지 모른다."

홍련이 고개를 갸웃거렸다.

"그래서 규환 당주와 아비 당주를 보낸 게 아닙니까?"

'그건 확실히 천만다행이다.'

소 뒷걸음질에 쥐를 잡은 꼴이었다. 엉뚱한 추측으로 올바른 결과를 만들어 낸 상황이었다.

현명군은 부끄럽고 쑥스러운 기색을 감추며 말했다.

"어쨌든 진영으로 돌아간다. 돌아가서 전열을 정비, 곧바로 흑승과 중합에게 달려가기로 한다."

그의 마지막 지시가 떨어졌다. 홍련과 청련의 얼굴에는 불만의 기색이 떠올랐지만 어쩔 도리 없다는 듯이 고개를 숙이며 그 명령을 받았다.

그리고 나서 홍련이 불쑥 입을 열었다.

"이 두 녀석은 제 마음대로 해도 괜찮겠죠?"

현명군은 고개를 끄덕였다.

"그래. 죽이든 살리든 잡아먹든 마음대로 하라."

홍련이 입맛을 다시며 말했다.

"잡아먹은 다음에 죽이려고요."

* * *

현명군만 강만리의 계책을 알아차린 게 아니었다.

그보다 조금 늦은 시각, 거의 텅 빈 은자림의 진영을 급습해서 세 명의 살수를 고문하던 왕야상과 최자 역시 차도살인의 단어를 떠올렸고, 뒤이어 세 마리의 뱀이 서로 꼬리를 물고 물리는 모습을 그릴 수 있었다.

"이런, 빌어먹을!"

"아무래도 우리 모두 흉계에 빠진 모양이군그래."

"허어! 멧돼지처럼 생긴 외모와는 달리 뱃속에 구렁이 열 마리가 들어 있다더니, 그게 사실이었구나."

"어쩌지? 지금 본진으로 돌아가 봤자……."

"늦었지. 아마 북방흑제에게 당했을 거야. 지금 이 은자림처럼 말일세."

"강만리, 그 개자식 역시……."

"도망쳤을 테고. 제 흉계에 빠져 서로 죽고 죽이는 우리를 비웃고 조롱하면서 말이지."

"그렇다면……."

"그래도 역시 놈의 뒤를 쫓아야겠지. 한 번 당했으니 열 번으로 갚아 줘야 하니까."

"그것보다 차라리……."

"은자림과 북방흑제와 합종연횡을 할 것까지는 없어. 단지 서로 공(功)을 탐내지만 않으면 돼. 누가 죽이든, 반드시 놈을 죽이면 되니까."

"흠."

"어떤가? 물론 나는 자네의 결정에 찬성이네만."

"흐음. 그래. 그럼 그렇게 하지."

의견이 일치된 왕야상과 최자는 곧장 수하들을 불렀다.

그리고 본진에 남아 있던 수하들의 안위는 확인하지도 않은 채 곧장 북쪽으로, 아마도 놈들이 도주하고 있을 유주 북쪽, 북해 방향을 향해 일직선으로 내달리기 시작했다.

3. 어른과 아이

쏴아아!

폭우는 그칠 기미가 없었다. 굵은 장대비는 영원할 것처럼 쏟아지고 있었다. 시간이 흐르면서 날은 어두워져 앞이 전혀 보이지 않았다.

바람도 거칠고 세찼다. 우장은 쉴 새 없이 펄럭였고 강풍과 함께 사선으로, 곡선으로 휘어 들어오는 비는 커다란 삿갓으로도 막을 수가 없었다.

철퍽! 철퍽!

어느새 정강이까지 차오른 흙탕물 위를 열심히 뛰어가던 교자꾼 하나가 하마터면 크게 넘어질 뻔했다. 교자가 크게 기우뚱거렸다.

위험한 상황 속에서도 교자 안에서는 까르르 즐거워하는 어린아이의 웃음소리가 들렸다.

"죄송합니다!"

교자꾼이 얼른 자세를 고쳐 잡으며 소리쳤다.

"괜찮아요."

마차 안에서 여인의 부드러운 목소리가 폭우 소리를 뚫고 들려왔다.

"우리 때문에 고생이 많아요."

"아닙니다!"

교자꾼들은 여인의 위로에 힘을 받은 듯 크게 소리치고는 더욱 열심히, 그리고 주의를 경계하며 내달렸다.

"미안해 죽겠어요."

반 평도 채 안 되는 좁은 공간, 그 비좁은 공간에 싫증이 난 듯 몸을 뻗대며 발버둥을 치는 강정을 달래던 예예는 문득 홀로 중얼거리는 초목아를 돌아보았다.

초목아는 두 다리를 세우고 그 위에 턱을 괴고 앉은 채 초점 잃은 눈으로 텅 빈 허공을 바라보며 소곤거렸다.

"늘 받기만 했거든요, 하나부터 열까지. 먹는 것, 입는 것은 물론 말하는 방법, 예의를 지키는 법, 기본적인 무공이나 약초, 해초에 대한 지식까지 모두 말이에요."

예예는 그제야 초목아가 그녀의 사부이자 할아버지이자 후견인인 초유동에게 하는 말임을 알았다. 예예는 부드러운 눈빛으로 그녀를 바라보았다.

"그런데 저는 아무것도 해 드린 게 없어요. 늘 투정만 부렸거든요. 좀 더 맛있는 걸 먹고 싶었고, 좋은 옷을 입고 싶었고, 군것질도 하고 싶었고, 또 가끔은 연극이나 춤을 보러 가고도 싶었어요."

초목아는 한숨을 쉬며 말을 이었다.

"그리고 사부 말은 제대로 듣지 않고 온갖 말썽만 피웠어요. 고집만 부리고, 신경질만 내고, 투정만 부리고, 그런 기억들밖에 떠오르지 않아요."

"어릴 때는 다 그런 거야."

예예는 여전히 제 품에서 발버둥을 치는 강정을 힐끗 내려다보면서 말했다.

"지금 이 아이를 봐. 자기 마음에 들지 않거나 원하는 걸 얻지 못하면 매번 이렇게 떼를 쓰잖니?"

초목아가 고개를 돌려 강정을 보고는 피식 웃는 낯으로 말했다.

"그야 아직 어리잖아요."

"너도 어려."

예예도 웃으며 말했다.

"어디 너뿐이니? 나도 아직 어려. 그래서 매번 불만이고 불평이지."

"언니가 어려요?"

"그럼. 남편이 있고 애가 있다고 해서 어른인 것 같아? 아냐. 그렇지 않아. 남편이 있어도, 애가 있어도 제대로 정신적으로 성숙하지 않으면 어린 거지. 그리고 나는 아직 정신적으로 제대로 성장하지 못한 것 같고."

예예는 문득 한숨을 쉬며 말했다.

"그래서 가끔은 남편은 곤란하게 만들고, 주변 사람들을 난처하게 만들지. 이게 아니다 싶으면서도 감정이 앞서 말이 먼저 나가고, 먼저 행동하거든. 비밀 하나 말해 줄까? 나는 네 나이 때 가출한 적이 있단다."

"가출이요?"

"그래. 매일 똑같은 수련이 귀찮고 힘들었거든. 그리고 아버지께서 느닷없이 늙은 두꺼비에게 시집을 보내겠다고 하시는 바람에 발끈해서 집을 도망쳐 나왔단다."

예예는 과거를 회상하듯 지그시 눈을 감으며 말을 이었다.

"최대한 집에서 멀리 떠나자, 하는 마음으로 계속 서쪽으로 걷고 걸어서 마침내 당도한 곳이 바로 사천 성도부였지."

"아, 거기에서 강 아저씨를 만나신 거예요?"

"그래. 그때 나는 주루와 객잔을 떠돌며 노래와 꽃을 팔았거든. 가지고 나온 돈이 다 떨어졌으니까 먹고살기 위해서는 그런 일을 할 수밖에 없었어."

"아아."

초목아의 입이 절로 벌어졌다.

귀한 집 여식인 줄로만 알았던 예예였다. 태어나서 지금껏 사랑만 받고 살아왔으며, 또한 시녀와 하인들에 둘러싸여 성장했을 거라고만 생각했다. 그런 예예에게도 나름대로 험하고 힘든 시절이 있었던 게다.

예예는 희미하게 웃으며 말을 이었다.

"내가 얼마나 고생했는지 뭐 그런 이야기를 하고픈 게 아니야. 어렸을 적에는 나도 부모 속을 썩이고 말썽 꽤 피웠다는 걸 말하고 싶었을 뿐이거든. 그런데 생각해 보면 그건 또 당연한 일이지."

예예는 잠시 뜸을 들였다가 말을 이었다.

"그건 어렸을 때의 특권이기도 하니까. 사람들 눈치를 살피게 되고, 세상의 이목에 신경 쓰게 되면서부터 내 마음대로, 뜻대로 살아갈 수 없게 되니까. 결국 어른이란 사람들의 눈치를 살피고, 세상의 이목에 신경 쓸 줄 아는 사람이라는 거겠지."

초목아는 무릎 위에 턱을 괸 채 가만히 예예의 말에 귀를 기울였다.

"하지만 그 어른이라는 자들도 부모에게는 투정을 부리고, 고집을 피워 속을 썩이지. 타인들 앞에서는 점잖은 척, 이성적인 척, 교양 있는 척할 줄 아는 어른이 되었으면서도 말이야. 왜 그러겠어? 부모 앞에서는 영원히 어린아이이기 때문이지."

예예는 어느새 잠든 강정을 살포시 옆에 내려놓은 다음, 초목아의 곁으로 다가가 가볍게 안으며 말을 이었다.

"그러니 네가 투정하고 고집을 부리고 말썽을 피운 건 초 어르신을 부모로, 아버지로 생각했기 때문인 거야. 그리고 초 어르신은 아무리 네가 속을 썩였어도 그저 한없이 귀엽고 사랑스럽게만 보였을 테고. 내가 지금의 아정을 보고 있는 것처럼 말이지."

"그럴까요?"

"그래. 그러니 너무 속상해할 필요 없어. 네가 어른같이 굴었다면 외려 초 어르신이 더 속상해하셨을 거야. 네가 당신께 너무 타인처럼 군다고 안타까워하셨을 거야. 생각해 봐. 만약 네가 초 어르신을 남이라고 생각했다면, 그때도 과연 그런 투정을 부리고 고집을 피웠을까?"

초목아는 진지하게 생각했다. 그리고 천천히 고개를 저으며 말했다.

"아뇨. 나름대로 착실하게 굴었을 것 같아요. 예의도 깍듯하게 지키면서 말이죠."

"마치 지금 내게 하듯 말이지?"

"아, 아뇨."

황급히 고개를 젓는 초목아의 뺨이 불그스름 달아올랐다.

"아니, 괜찮아."

예예가 그녀의 어깨를 다독이며 웃었다.

"아직 우리와 어색한 건 너무나도 당연한 일이니까. 조금 더 친해지고, 조금 더 가까워지고 살가워지면 그때는 나도 너 때문에 골치를 썩일 수 있고, 너도 우리에게 투정을 부리고 고집을 피울 거야. 초 어르신께 했던 것처럼 말이야."

초목아는 아무 대꾸 없이 가만히 예예를 쳐다보다가 불쑥 입을 열었다.

"확실히 언니는 어른 같아요."

"응? 내가?"

"그러니까 그게 사람 눈치를 살피거나 세상 이목에 신경 쓰는 그런 어른이라는 게 아니라요. 사부처럼 사람을 이해할 줄 알고, 보살필 줄 알며 제가 걸어가야 할 길을 보여 줄 줄 아는 그런 어른 말이에요."

초목아는 제 말의 의미를 온전하게 전하기 위해서 단어 하나하나에 신경 쓰며 말했다.

예예는 눈을 동그랗게 뜨고 초목아를 바라보다가 문득 환하게 웃으며 그녀의 등을 쳤다.

"어머어머! 너 참, 말을 잘하는구나? 아주 듣는 사람이 황홀해할 정도로 말이야."

그녀가 너무 크게 웃고 떠들었을까. 겨우 잠들었던 강정이 잠에서 깬 듯 칭얼거리려 했다.

예예는 화들짝 놀라 그를 다독이며 투덜거렸다.

"정말이지, 뭔 이야기도 하지 못하게 한다니까."

초목아는 그런 예예의 모습을 바라보면서 저도 모르게 미소를 지었다.

비록 인상을 찌푸리며 투덜거리고는 있지만, 아들을 내려다보는 어머니의 눈에 담긴 한없이 자애롭고 부드러운 그 눈빛의 의미를, 그녀도 이제는 충분히 이해할 수 있었기 때문이었다.

쏴아아!

장대비는 쉬지 않고 계속 쏟아지고 있었다. 땅은 거칠

고 사방은 어두워져 앞이 제대로 보이지 않았지만, 예예와 초목아, 그리고 강정을 태운 교자는 생각보다 편하고 흔들림 없이 이 유주의 광활한 황야를 질주하고 있었다.

7장.

폭우(暴雨)가 그치고

"늙었다니 어쨌다니 하지만 달라진 건 하나도 없네요."
뚱보 주인장은 객잔 안으로 들어서며 혼잣말처럼 말했다.
"모든 게 다 변하고 달라졌지. 단지 자네가 알아보지 못할 따름이네."

1. 유주 끝자락

하늘에 구멍이라도 난 듯 이틀 내내 쏟아진 비는 사흘째 아침이 되면서부터 조금씩 약화되었다. 나무가 뽑혀나갈 것처럼 휘몰아치던 강풍도 자취를 감췄다.

하지만 이틀간의 폭우는 유주 일대에 엄청난 피해를 입혔다. 유주를 왕래하던 상단은 물론, 광활한 황무지에 힘겹게 밭을 일구고 살아가던 개간민(開墾民)의 집과 땅과 밭이 모두 물바다가 되었으니 유주 일대의 수재민(水災民)만 하더라도 만 명이 훨씬 넘었다.

게다가 폭우가 잠잠해졌다고는 하지만 여전히 비는 내리고 있는 가운데, 새롭게 생겨난 강과 개울들로 드넓은 황야의 지형이 모조리 바뀌었다.

이 유주를 한두 번 정도 오간 상인이나 여행객들은 길을 잃고 헤매다가 물에 빠져 전 재산을 잃거나 심지어 목숨까지 잃어야 했다.

강만리 일행 역시 마찬가지였다.

비록 양위나 예예, 담우천이 유주를 오간 적이 있다고는 하지만 너무나도 달라진 지형에 제대로 방향을 잡을 수가 없었다. 길을 인도해 줄 태양과 별이 없는 이상, 그들은 오로지 나침반만 믿고 달려야 했다.

그러나 너무 많은 비가 쏟아졌기 때문인지, 아니면 이 시대의 나침반이 원래 그런 것인지 일행의 나침반은 이날 아침부터 제대로 작동하지 않고 있었다.

"젠장, 왜 안 움직이는데?"

선발대의 화군악이 투덜거리면서 나침반을 마구 흔들었다. 나침반의 양극이 휘휘 돌다가 천천히 제자리를 잡아 가야 하는데, 그 안에 물이 들어갔는지 꼼짝도 하지 않고 있었다.

이렇게 자침이 움직이지 않으니 그 자침이 가리키는 방향이 정확한지 믿을 수가 없었다.

이런 상황에서 누군가를 쫓는 자들은 더더욱 힘들 수밖에 없었다. 진흙탕이 아닌 곳이 없었으며, 정강이까지 물에 차오르지 않은 곳도 없었다.

낮은 지대는 사람 키 이상 되는 깊은 물이 차기도 했으며, 그렇게 차오른 물이 싯누런 격랑을 일으키며 흐르기도 했다.

그런 연유로 강만리 일행과 그들을 뒤쫓는 무리 간의 간격은 시간이 흐르면서 점점 더 벌어지고 있었다.

* * *

"오늘 안으로 비는 그칠 것 같군."

"정말 영원할 것 같았는데 말이죠."

"세상에 영원한 게 어디 있을까?"

"말이 그렇다는 겁니다. 왜 형님은 제 말에 꼭 그렇게 딴죽을 거는지 모르겠습니다."

"네가 꼭 걸게끔 말을 하기 때문이다."

"됐습니다. 어서 길이나 찾죠."

"그래. 그게 좋겠다. 아무래도 저쪽 같은데 말이지."

"저는 이쪽 같은데요?"

"봐라. 이런 사소한 의견부터 다르잖아? 이러니 내가 한마디 하지 않을 수가 있겠냐?"

"이번에는 제가 맞을 것 같은데요. 담 형님? 담 형님!"

"무슨 일인가?"

"이쪽으로 가야 하는 것 맞죠?"

"글쎄. 확실하지는 않지만 나는 저쪽 같은데?"

"흐흐흐."

"아니, 그렇게 웃는 건 또 뭡니까?"

"아무것도 아니다. 그냥 날이 갤 것 같아서 웃었을 뿐이다."

"쳇, 이럴 때는 꼭 개구쟁이 꼬마 같다니까요."

"흐흐흐. 원래 난 개구쟁이였다."

강만리는 일부러 더 기분 나쁘게 웃으면서 화군악을 놀렸다. 화군악은 한숨을 쉬며 발길을 저쪽으로 돌렸다.

"어른인 내가 참아야지."

강만리가 그 뒤를 따르며 좋알거렸다.

"그래. 한 살이라도 적은 네가 참아야지, 또 누가 참겠느냐?"

"됐다니까요?"

"그만하게. 그러다가 울리겠네."

담우천이 거들며 나섰다. 화군악은 어처구니없는 표정으로 담우천을 바라보다가 저도 모르게 웃음을 터뜨렸다.

마냥 진지하고 무뚝뚝하기만 하던 담우천이 그런 말을 하는 모습을 보니, 기분이 나쁜 게 아니라 왠지 웃겼던 것이다.

세 조직을 보기 좋게 따돌렸기 때문이리라. 쉬지 않고

쏟아지던 폭우가 그칠 기미를 보이기 때문이리라. 하늘을 뒤덮었던 먹장구름 사이로 맑은 하늘이 언뜻 내보이기 시작했기 때문이리라.

강만리와 화군악, 담우천들은 오래간만에 크게 웃으며 발길을 옮겼다.

다음 날.

언제 비가 왔냐는 듯이 드디어 날이 화창하게 개었다. 일 년 내내 말라붙어 있던 황무지는 빠르게 물을 빨아들였고, 사람 키보다 높이 차올랐던 강은 하루 만에 개울이 되었다.

"이제부터 조심해야 한다!"

강만리는 무사들을 향해 크게 소리쳤다.

"물이 빠지고 진창만 남으면 거기에 찍힌 발자국은 꽤 오랫동안 남기 마련이다. 적들이 뒤쫓아 올 수 있는 흔적이 된다는 게다! 그러니 최대한 발자국을 남기지 말도록 하라! 소소한 흔적도 주의하고 경계하라!"

"알겠습니다!"

화평장의 무사들은 일제히 큰 소리로 대답했다. 그들 또한 화창해진 날씨에 덩달아 활달해진 듯했다.

하지만 그것도 한 시진이 채 가지 못했다. 비가 그친 후 다시 떠오른 햇빛은 지옥의 불길처럼 뜨겁게 대지를 달구기 시작했다. 백여 년 이래 최고의 무더위라고 할 정도의 여름이 다시 찾아온 것이다.

게다가 해가 보이고 나서야 비로소 강만리 일행은 자신들이 북쪽이 아닌 북서쪽으로 나아가고 있음을 알게 되었다. 하마터면 북해가 아니라 몽고로 들어설 뻔했던 그들은 황급히 방향을 동쪽으로 틀어 달려 나갔다.

뜨거운 태양이 작열하는 황무지였다. 교자를 메고 가는 이들의 얼굴은 굵은 땀방울이 폭우처럼 흘러내렸고, 전신은 비라도 맞은 듯 흠뻑 젖어 있었다.

그런 연유로 강만리는 교자꾼들을 한 시진 주기로 교체했지만 갈수록 발길이 무거워지는 건 어쩔 도리가 없었다. 교자를 메지 않은 강만리조차 숨이 탁탁 막히는 무더위였으니까.

"젠장. 차라리 폭우가 더 나았어."

화군악이 가죽 부대에 담긴 물로 해갈(解渴)한 후 눈을 가늘게 뜨며 하늘을 올려다보았다. 정오가 훨씬 지난 시각이었지만 여전히 햇살은 뜨거웠고, 대지는 뜨겁게 달궈져 있었다.

"참 간사한 게 사람 마음이라지. 폭우가 쏟아질 때에는 이 햇빛이 그토록 그립더니 말이야."

장예추가 화군악에게 가죽 부대를 건네받으며 말하자 화군악이 고개를 끄덕였다.

"그러니까. 어쨌든 난 더운 건 싫어."

"그렇게 말해 놓고 정작 북해에 가서는 또 햇빛을 그리워할 것 같은데?"

"아."

화군악은 수년 전 방문했던 북해빙궁의 추위를 떠올리고는 저도 모르게 몸을 부르르 떨었다.

물을 마신 장예추가 그 모습을 보고 빙긋 웃으며 물었다.

"그렇게 추워?"

"응. 이가 덜덜 부딪쳐서 가루가 되는 줄 알았으니까."

"지금이라면 피서(避暑)로 딱 좋은 곳이겠네."

장예추는 화군악에게 가죽 부대를 돌려주면서 주위를 둘러보았다.

"그나저나 네가 말한 그 유명촌의 유랑객잔은 언제 나오는 거야?"

"글쎄. 제대로 된 여정이었다면 유주에 들어서고 사흘째 되는 날에는 당도했을 텐데, 중간에 시간을 너무 잡아먹어서 말이야. 게다가 엉뚱한 방향으로 하루 가까이 움직였으니……."

유주에 들어선 지 벌써 엿새째였다. 엿새라면 유랑객잔에 당도해도 두 번을 도착했을 시간이었다.

하지만 북방군이니, 은자림이니, 살막이니 하는 것들

을 견제하느라 하루, 폭우로 인해서 하루, 그리고 다시 엉뚱한 방향으로 움직이는 바람에 이틀, 그렇게 나흘간이나 허비했다.

"아무리 봐도 모르겠네. 지난 사흘간의 폭우로 주변 풍광이 너무 달라져서 말이지. 하지만 뭐……."

장예추와 함께 주변을 둘러보던 화군악이 낙천적인 얼굴을 하면서 말을 이었다.

"빠르면 오늘 밤, 늦어도 내일 아침에는 도착하겠지."

그리고 평소의 화군악답지 않게 그의 추측은 정확하게 들어맞았다.

다음 날 아침.

밤새도록 움직이느라 지친 몸을 이끌고 억지로 발을 옮기던 사람들 시야에 희뿌연 무언가가 보이기 시작했다.

처음에는 신기루나 헛것이라고 생각했지만, 조금씩 가까이 다가갈수록 그 희뿌연 무언가는 점점 더 뚜렷해졌고 명료해졌다.

"유명촌이다!"

화군악이 크게 소리쳤다.

사람들의 얼굴이 밝아졌다. 그들은 눈을 동그랗게 뜨고 정면을 쳐다보았다.

백여 가구도 채 되지 않은 조그만 마을이었다. 고만고

만한 움막 같은 집들이 옹기종기 모여 있을 뿐, 고래 등 같은 장원은 한 채도 보이지 않았다.

아주 오래전에 몰락한 듯한 바로 그 마을이 유주 끝자락, 국경과 국경의 경계선 부근에 있는 유명촌이었다.

2. 재회(再會)

강만리의 계략에 빠져 서로 물리고 물리던 세 조직 중에서 가장 먼저 상대의 꼬리를 뱉고 몸을 돌린 곳은 살막이었다.

은자림의 진영을 기습했던 오마신 왕야상과 최자는 노회한 연륜답게 이 상황이 강만리의 차도살인지계, 사상함미의 계략임을 알아차렸다.

그들은 곧장 몸을 돌려 그곳을 벗어났고, 곧바로 강만리 일행을 감시하고 있을 척후조들에게 달려갔다. 예상대로 다섯 명의 척후조는 모두 죽은 후였다.

시신들은 하나같이 깨끗하고 완벽한 수법에 의해 제대로 저항 한 번 하지 못한 상태였다.

"생각보다 훨씬 더 강하군."

"내 생각보다 다섯 배는 강한 자들이다. 아무래도 우리 둘만으로는 부족할 것 같군."

"그럼 다른 삼마신을 모두 불러야 하나?"

"아니, 그러다가 자칫 살막이 몰살당할 수도 있다. 차라리 이 정도에서 포기하고 청부를 거절해야 할 것 같다."

"배상금이 꽤 많을 텐데?"

"아무리 배상금이 많다 한들 살막의 명맥보다 중요할 리는 없지 않은가?"

"아니, 그 정도까지는 아니다. 삼마신을 모두 부르면 충분히 놈들을 암살할 수 있다."

처음으로 왕야상과 최자의 의견이 갈렸다.

일반적으로 왕야상이 의견을 제시하거나 단서를 꺼내 들면 최자가 그 의견을 보충하거나 혹은 뼈가 되는 단서에 살을 붙여서 제대로 된 이야기를 만들어 냈다.

그만큼 서로 죽이 잘 맞았고 합이 뛰어난 두 사람이었으니, 지금 이렇게 의견이 엇갈린 건 근 십여 년 만에 처음 있는 일이었다.

"곤혹스럽군. 내 생각과 다른 걸 보니."

"나도 마찬가지야. 자네는 언제나 내 의견에 순종적이었는데 지금은 꽤 날이 선 게 느껴질 정도로 자네의 의견을 굽히지 않는군."

"나는 우리가 강하다고 생각하고, 저들이 그렇게까지 강하다고 생각하지 않네."

"물론 나도 우리가 강하다고 생각하네. 하지만 저들은 처음 생각했던 것보다 훨씬 강하네. 지금 이 시신들을 둘러보게. 암살자가 우리에게 뭔가 경고를 보내고 있는 것 같지 않은가?"

"경고?"

"그렇다네, 경고. 암살의 능력으로도 충분히 우리들을 제압할 수 있다. 그러니 함부로 뒤쫓아 오지 마라. 뭐 이런 경고 말일세."

"자네, 너무 겁을 먹은 것 같군."

"아니네. 현실을 직시하고 냉정하게 상황을 살핀 끝에 내린 결론일 뿐이네."

"흠, 그럼 이제 어찌한다? 이렇게 우리 의견이 갈린 지가 너무 오래전이라……."

"할 수 없지. 누구 하나 물러서지 않는다면 그 방법을 사용할 수밖에."

"으음, 그건 싫은데."

"그럼 자네의 의견을 접고 내 말을 따르게."

"그것도 싫네. 무엇보다 막주께서도 반대할 테니까."

"그럼 어쩔 수 없지. 그 방법으로 결정할 수밖에. 승부는 단 한 번이네. 승패가 결정지어지면 반드시 따라야 하네."

"잘 알고 있네. 그럼 잠시……."

왕야상은 호흡을 가다듬었다. 마음을 평온하게 가라앉힌 후 무심한 표정을 지으며 최자를 바라보았다.

최자가 하나, 둘, 셋을 세었다. 그리고 셋이라는 숫자가 최자의 입에서 나오는 순간 두 사람이 손을 앞으로 내밀었다.

"이런……."

최자의 얼굴이 일그러졌다. 왕야상이 기뻐하며 말했다.

"내가 주먹일세. 내가 이겼으니 다른 삼마신을 부르는 걸세."

"어쩔 수 없지. 하늘의 뜻이 정 그렇다면 따를 수밖에."

최자는 한숨을 쉬며 가위를 낸 제 손을 원망하듯 노려보았다.

하지만 자책은 짧았다. 곧 그의 머리가 빠르게 회전했다.

"그럼 본산에 연락하여 삼마신과 남은 금면, 은면, 혈면을 모두 부르도록 하지. 막주께서 허락하실지는 모르겠지만 말일세."

"그건 너무 과한……."

"아니네. 그 정도는 되어야 놈들을 해치울 수 있을 걸세. 그리고 원군이 당도할 때까지 우리는 놈들과 최소한 십 리 이상 떨어진 곳에서 감시만 하는 걸세. 알겠나?"

"으음, 그건 너무……."

"나로서는 최대한 양보했네."

"정 그리 말한다면야. 그럼 이제 놈들을 쫓아야겠지?"

"그래야지."

겨우 의견 일치를 본 두 사람은 빠르게 움직였다. 살막의 본산으로 연락을 취한 후, 곧바로 이 비바람 휘몰아치는 황무지로 나가 강만리 일행의 흔적을 뒤쫓았다.

사방이 흙탕물이었고 앞이 보이지 않을 정도의 폭우였지만 그들은 포기하지 않았다. 시간과 노력과 끈기만 있다면 반드시 놈들의 흔적을 찾아낼 수 있었다.

그리고 얼마 지나지 않아 지금까지 늘 그래 왔던 것처럼, 당연하게 놈들의 곁에 은밀하게 파고들어 목숨을 빼앗을 것이었다.

그게 살막이었으니까.

* * *

언제 폭우가 쏟아졌느냐는 듯이 황무지는 잔뜩 말라 있었다. 유명촌의 입구부터 시작되는 흙길도 먼지가 풀풀 날리고 있었다.

아침나절이었지만 거리에는 한 사람의 모습도 찾아볼 수가 없었다. 길 양쪽으로 늘어선 움막집에도 전혀 기척이 느껴지지 않았다.

그 먼지 흩날리는 길을 따라 한 무리의 행렬이 들어서

고 있었다. 네 대의 교자를 중심으로 수십 명의 사내, 여인들이 에워싼 채 천천히 걷고 있었다. 바로 강만리 일행이었다.

"이곳이 유명촌이란 말이지?"

장예추는 낮은 목소리로 중얼거리며 주위를 둘러보았다. 예전에는 객잔이고 주루였던 것처럼 보이는, 하지만 지금은 이미 문을 닫은 지 오래인 듯 보이는 건물 몇 개가 나란히 늘어서 있었다.

"바보 같군. 이런 황량하고 외진 땅에 객잔과 술집이 이렇게 많을 필요가 어디 있다고."

장예추의 말에 화군악이 아는 척 입을 열었다.

"한때는 그래도 제법 활기가 넘쳐 났다더군. 예서 오백여 리 북동쪽의 광산에서 은(銀)이 나왔다든가, 뭐 그래서 꽤 짭짤한 수익을 올렸다지 아마?"

"그런데 왜? 이제 은이 안 나오기라도 하는 건가?"

"아니, 나오기는 나오는데 생각보다 은이 나오지 않는다는 거야. 파면 팔수록 손해라는 거지. 인건비니 뭐니 따지면 말이야. 그래서 결국 몇 년 가지 않아 폐쇄가 되었지."

화군악은 어깨를 으쓱거리며 말을 이었다.

"유랑객잔은 그 다섯 객잔 중에서 가장 허름하고 지저분하며 음식 질이 떨어진다고 알려졌지. 그래서 활황기에는 외려 제대로 장사가 잘 안 되었나 봐."

"그런데?"

"그런데 희한하게도 끝까지 버티고 살아남더니 이제는 이곳 유명촌의 유일무이한 객잔이 되었지 뭐야?"

화군악은 웃으며 말을 덧붙였다.

"게다가 주인장 음심 솜씨도 좋아져서 이제는 어느 거라도 제법 먹을 만하고, 특히 꿩국은 상당한 수준이라더군."

"그건 내가 보증하지."

그들의 뒤를 따르던 강만리가 불쑥 입을 열었다. 화군악과 장예추가 뒤돌아보았다.

요 며칠 동안 말린 육포와 벽곡단(辟穀丹)으로 허기를 채웠던 강만리는 저도 모르게 쩝쩝 입맛을 다시며 말했다.

"여기 꿩국은 지금껏 내가 먹은 모든 꿩국 중에서 첫 번째, 혹은 두 번째라고 할 수 있어."

화군악이 궁금하다는 듯 물었다.

"그럼 또 다른 한 곳은 어딘데요?"

"산서성 태원. 지저분하고 더럽지만 꿩국 하나는 최고로 잘 끓이는 집이 있지."

"허어, 그것참 듣기 고약하군."

불퉁한 목소리가 거리 안쪽에서 들려왔다. 사람들의 시

선이 일제히 그곳으로 향했다.

곰 같은 체구의 사내, 강만리보다 머리 하나 정도는 더 커 보이는 중년 사내가 양손 가득 목재를 든 채 강만리를 향해 말했다.

"우리 집 꿩국과 비슷한 곳이 있다고? 아니네. 그건 자네가 요 몇 년 사이 몇 배는 더 맛있어진 내 꿩국을 먹지 못해서 그런 말을 하는 걸세."

"저귀(猪鬼)?"

강만리가 놀라 묻자 뚱뚱한 중년 사내는 가볍게 눈살을 찌푸리며 대꾸했다.

"나는 자네를 기억하는데 자네는 나를 잊은 건가?"

"아, 아니오. 어찌 잊겠소?"

강만리는 당황하여 말했다.

"단지 이런 길거리에서 우연히 마주치는 바람에 깜짝 놀랐을 뿐이오."

"허어, 내가 볼일이 있어 잠깐 마을에 들른 게 그리 놀랄 일인가?"

"으음? 뭐, 그것도 그렇지만……. 그런데 그 목재는 또 뭐요? 어디 수리라도 하는 것이오?"

"아, 이거? 엊그제 폭우 때 천장에서 하도 빗물이 새서 말이네. 날이 갠 김에 조금 보수하려고 구했네. 그나저나 자네 뒤의 사람들은 뭔가? 식구 전부가 이주라도 하는 겐가? 꼭 야반도주라도 한 것 같군그래."

"그게……."

강만리가 미처 대꾸하기도 전에 화군악이 손을 흔들며 말했다.

"오랜만입니다, 주인장."

중년 사내는 가늘게 눈을 뜨고 화군악을 보고는 고개를 갸웃거렸다.

"흠, 어디에서 본 것 같기는 한데……."

화군악이 "허!" 하고 입을 벌렸다.

"아니, 강 형님은 기억하면서 나는 기억을 못한다고요? 주인장과 몇 번이나 손속을 겨뤘는데도 말이죠?"

"그야 저 친구는 꼭 내 동생같이 생겼으니까. 아, 그렇군! 내게 돼도 안 되는 시비를 걸어서 어떻게든 싸워 보려고 했던 그 친구로군. 그래, 요즘은 무공이 좀 늘었나?"

"하하. 저번과는 다를 겁니다."

"흠, 뭐 그렇겠지. 아직 어리니 조금만 노력해도 금세 늘 게다."

화군악과 뚱보 사내의 대화가 길어지는 동시에 강만리 뒤에 늘어선 행렬의 기다림도 길어지고 있었다. 강만리는 틈을 보다가 두 사람의 대화가 살짝 끊어지는 순간 재빨리 끼어들었다.

"길 한복판에서 이럴 게 아니라 객잔으로 가죠. 폭우를 뚫고 이곳까지 오느라 다들 몰골이 말이 아니오. 가서 씻고 하룻밤 푹 쉬면서, 주인장이 자랑해 마지않는 그 꿩국을 먹어 보고 싶소."

"그렇게 하세."

뚱보 사내는 몸을 돌리더니 앞장서서 걷기 시작했다. 강만리와 화군악 일행은 서둘러 그의 뒤를 따라 발길을 옮겼다.

3. 방이 모자라겠는데

유명촌의 외곽.

정면으로는 드넓은 황무지가 앞마당처럼 펼쳐져 있고, 뒤쪽으로는 말 두어 마리가 쉴 수 있는 마구간(馬廏間)이 있었다.

희한하게도 일반적인 건물 위치와는 다르게, 유명촌에서 이곳으로 오는 길은 마구간으로 이어지고 있었다. 즉, 유명촌에서 보면 이곳이 객잔인지 일반 건물인지 전혀 알 수 없게 되어 있었던 것이다.

"아는 사람만 찾아오라는 거네. 괜히 손님이 많으면 귀찮아지니까."

뚱보 사내는 작고 허름한 객잔을 향해 걸으며 그렇게 설명했다.

유랑객잔이라고 했다.

원래는 붉은색이었으나 누렇게 변색한 깃발이 흙먼지 가득한 바람을 타고 펄럭였다. 깃발에 쓰여 있던 유랑객잔이라는 네 글자는 대부분 지워지고 색이 바래서 겨우 형체만 남아 있을 뿐이었다.

강만리는 걸음을 잠깐 멈추고 객잔을 둘러보았다. 목조로 지어진 이 층 건물은 금방이라도 무너져 내려앉을 것처럼 삐거덕거렸다.

수년 전, 그러니까 황궁 연쇄 살인사건을 해결한 후, 빙장(聘丈)이 될 사람을 만나기 위해 북해빙궁으로 가던 길에 방문했을 때보다 수십 년은 더 낡은 듯한 모습이었다.

이곳만 시간이 더 빠르게 흘러가는 걸까, 아니면 너무나 정체되어 있어서 외려 더 빠르게 퇴화하는 것일까.

"흠, 우리 식구들이 다 들어갈 수 있을까요?"

화군악이 그의 곁에 서며 소곤거렸다. 앞서 걷던 뚱보 사내, 그러니까 이 유랑객잔의 주인이자 숙수이며 점소이이기도 한 저귀가 그 소곤거리는 소리를 들었는지 불쑥 입을 열었다.

"삼십 명이든 오십 명이든 다 묵을 수 있다. 조금 부대

낄 뿐이지."

"칫, 귀도 밝다니까."

"늙으면 밝아지는 게 귀와 지혜뿐이더구나."

"그리 늙지도 않으셨잖아요? 우리 담 형님과 동년배일 것 같은데요."

"담 형님?"

"네. 아, 주인장도 만난 적이 있을 텐데요. 아이 둘을 데리고 다녔던……."

"아, 그 괴짜 말인가?"

마구간 쪽에 목재들을 내려놓은 뚱보 주인장이 막 객잔 뒷문을 열려다가 돌아서며 물었다.

"그 친구도 자네들과 같은 패거리였나?"

"같은 패거리라…… 뭐 그런 셈이죠."

"허어, 그것 참 묘한 인연이로군그래."

뚱보 주인장은 강만리와 화군악 뒤로 길게 늘어서 있는 행렬을 힐끗 바라보고는 다시 몸을 돌려 문을 열며 말했다.

"다행히 이 층은 텅 비어 있네. 꾸역꾸역 들어가면 대충 다 잘 수 있을 걸세. 참, 식대와 숙비는 선불일세."

화군악이 피식 웃었다.

"늙었다니 어쨌다니 하지만 달라진 건 하나도 없네요."

뚱보 주인장은 객잔 안으로 들어서며 혼잣말처럼 말했다.

"모든 게 다 변하고 달라졌지. 단지 자네가 알아보지 못할 따름이네."

그런 뚱보 주인장과의 말과는 달리 객잔 내부는 전혀 달라진 게 없었다. 여전히 초라했고 좁았으며 지저분했다.

뒷문을 통해 들어선 화군악이 대청을 둘러보며 중얼거렸다.

"어제 왔던 것처럼 달라진 게 없다니까."

"흥."

뚱보 주인장은 코웃음을 치며 말했다.

"다른 식구들은 조금 있다가 들어오라고 하게. 천장 좀 수리를 한 다음에 말이지."

그는 곧 앞문을 열고 밖으로 나갔다. 뚱보 주인장이 다시 마구간 쪽으로 돌아가 목재를 들고 지붕으로 올라가는 동안 화평장의 무사들이 마구간 옆에 교자를 내려놓았다.

꽤 오래간만에 교자 밖으로 나온 아이들이 까르르 웃고 떠들었다. 여인들도 기지개를 켜면서 주위를 둘러보았다. 보이는 거라고는 온통 황무지뿐이었지만 왠지 아늑하고 정겨우며 차분해지는 풍경이었다.

동생들을 챙기던 담호는 문득 지붕 위의 뚱보 주인장을

보고는 손을 모으며 허리를 숙였다.

"오랜만에 뵙습니다. 담호가 인사드립니다."

행동은 물론 말투도 제법 의젓한 것이, 한 사람의 제대로 된 무인 같아 보았다.

뚱보 주인장은 아무 대꾸 없이 고개를 끄덕였다.

'그때 그 울보 꼬마 녀석이 저리 컸구나. 정말 세월 빠르다니까.'

뚱보 주인장이 문득 예전 기억을 떠올릴 때였다. 여인의 활달한 목소리가 그의 상념을 깨웠다.

"안녕하세요!"

뚱보 주인장은 상념을 깨고 아래쪽을 내려다보았다. 예예였다. 그녀는 뚱보 주인장을 보고는 환호하듯 두 팔을 벌려 흔들며 소리쳤다.

"오랜만이에요, 저귀 아저씨!"

뚱보 주인장이 눈살을 찌푸렸다.

"귀 안 먹었다."

불퉁한 대꾸였지만 예예는 전혀 개의치 않았다. 비록 외모와 말투는 저래도 누구보다 속 깊고 잔정 많은 사람이라는 걸 잘 알고 있었기 때문이었다.

"반가워요! 정말 보고 싶었어요!"

"귀 안 먹었다니까."

"여기 이 녀석이 우리 아들이에요!"

예예는 뒤뚱거리며 걷던 강정을 들어 올리며 소리쳤다.

"약속하신 대로 이 아이 사부가 되어 주셔야 해요?"

뚱보 주인장의 좁쌀만 한 눈이 커다랗게 변했다.

"약속이라니? 내가 언제 사부가 되어 주겠다고 했는데?"

"그럼 이따가 봬요!"

예예는 뚱보 주인장의 말이 전혀 들리지 않는 것처럼 혼자 그렇게 말하고는 활짝 웃어 보였다. 그러고는 마치 이 유랑객잔의 안주인처럼 능숙하게 사람들을 안내하여 객잔 안으로 들어섰다.

"아니, 잠깐만. 하던 말은 계속…… 허어, 이런."

뚱보 주인장은 입맛을 다셨다. 왠지 불길한 예감이 들었다. 자칫 코를 뀔 수도 있다는 생각이 그의 등골을 타고 소름처럼 퍼졌다.

"진짜 내가 그리 말했을까?"

아니, 그럴 리 없었다. 그가 스스로 누구의 사부가 된다고 말할 리 없었다.

하지만 만약 술에 취했다면, 그때 함께 술을 마시다가 취한 나머지 예전 버릇이 그대로 나왔다면…….

'가만있자, 내가 저 녀석들과 술을 마셨던가?'

자신이 없었다. 그래서 더욱 기분이 나쁘고 가슴이 울렁거리며 식은땀까지 흘렀다.

'젠장, 만에 하나 그리 말한 적이 있다면 반드시 취소해

야겠다. 아아, 진짜 술을 끊어야 하는데.'

뚱보 주인장이 그렇게 속으로 스스로를 향해 투덜거릴 때였다. 추격대의 흔적이 있는지 확인하느라 뒤처져 있던 후발대도 유랑객잔에 당도했다.

뚱보 주인장은 그들 십여 명의 새로운 무사 중에 낯익은 중년 사내, 담우천이 있다는 걸 확인하고는 저도 모르게 고개를 설레설레 흔들었다.

화군악에게 미리 이야기를 들은 데다가 담호의 인사까지 받은 터라 이미 알고 있었음에도 불구하고 이렇게 직접 담우천을 보게 되니 기분이 남달랐던 것이다.

유명촌의 중심가를 벗어나 유랑객잔을 향해 천천히 걸어오던 담우천도 객잔 지붕에 있던 뚱보 주인장은 발견한 듯 가볍게 고개를 끄덕이는 것으로 인사를 대신했다.

뚱보 주인장이 한숨을 내쉬었다.

"정말이지…… 악연(惡緣)이라는 게 정말 질기군그래."

그렇게 한숨을 내쉰 그는 낯을 찌푸리며 투덜거렸다.

"그나저나 진짜 방이 모자라겠는데?"

8장.

코딱지를 먹으면

이제부터가 중요하다.
그렇게 말하는 나찰염요의 표정은 그 어느 때보다도 진지하고 결연해 보였다.
장예추는 저도 모르게 마른침을 꿀꺽 삼켰다.

1. 잠자리

이 층에는 여덟 개의 방이 있었다. 크고 작은 방마다 각각 두 개에서 네 개의 침상이 있었는데, 꾸역꾸역 밀어 넣어야 가까스로 삼십 명 정도가 들어가 잘 수 있을 듯싶었다.

화평장 사람들은 강만리의 의형제, 식구들만 해도 스무 명에 이르렀다. 거기에 양위와 고굉이 이끄는 무사들의 수가 대략 오십 명 정도였다.

게다가 마차를 부수면서 화평장에서 가지고 온 짐들은 저 폭우 쏟아졌던 황무지에 대부분 버리고 왔지만, 그래도 생존에 필요한 최소 물품만 하더라도 방 하나를 차지했다.

“저희는 밖에서 자겠습니다.”

양위가 씩씩하게 말했다. 그의 수하들도 다들 고개를 끄덕이며 수긍했다.

그러자 고굉이 머뭇거리며 말했다.

“저도 밖에서 자고 싶지만 요즘 허리가 쑤셔서 아무래도 침상을 사용해야 할 것 같습니다. 젠장! 마음과 달리 몸이 따라 주지 않네요.”

강만리는 내심 한숨을 쉬고는 고굉을 본체만체하며 다른 이들을 돌아보며 입을 열었다.

“여인들은 아무래도 야숙이 불편할 터, 이 층에서 지내도 되오.”

양위의 수하 중 절반가량이 여인들이었다. 그녀들은 원래 북해 빙궁의 시녀들이었는데, 나름대로 상당한 무공을 익히고 있었으며 거기에다가 이번 탕약을 복용하면서 상당한 수준의 내공도 얻었다. 반 갑자 이상의 내공을 얻었다는 인물이 바로 이들 중에 있었다.

“괜찮습니다.”

여인들이 당차게 말했다.

“저희도 어엿한 화평장의 무사, 다른 동료들과 야숙하겠습니다. 게다가 유주를 건너오는 동안에도 계속해서 야숙해 왔으니까요.”

강만리는 고개를 끄덕이며 고굉을 돌아보았다. 봐라, 여자들도 저리 말하고 있는데 너란 녀석은 도대체 뭐냐는 표정이었다.

고굉은 얼굴을 일그러뜨리며 어쩔 수 없다는 듯이 입을 열었다.

"저와 제 수하들도 야숙하기로 하죠. 하기야 무더운 방 안에서 여럿이 구겨 자는 것보다 밖에서 밤바람 맞으며 자는 게 훨씬 나을 테니까요."

"허리는?"

"아, 괜찮습니다. 뭐, 허리 안 좋은 게 어디 하루 이틀 일인가요? 형님을 위해서라면 이깟 허리 부러져도 상관없으니까요."

"그래? 그럼 다행이고."

그렇게 무뚝뚝하게 말한 강만리는 곧 양위를 향해 말을 이었다.

"마차를 구할 수 있으면 구해 보고, 교자를 다시 마차로 사용할 수 있을 것 같으면 그렇게 해 보시오."

지붕 위에 있던 뚱보 주인장이 그 말을 들은 듯 지붕을 고치며 말했다.

"마차는 구할 수 없을 걸세."

"흠. 그럼 말은요?"

"말? 글쎄, 자네들이 다 탈 정도의 말은 없을걸?"

"마차 한두 대 끌 정도면 됩니다."

"그 정도는 있지 않으려나? 잘 모르겠군. 다들 요즘 말 먹이를 줄 형편들이 못 되어서 말이지. 굶어 죽는 것보다는 그래도 말을 잡아먹는 게 나을 테니까."

"수레는요?"

"수레야 집마다 가지고 있겠지. 죽은 시신을 가져다가 묻기에도 편하니까 말이지."

주인장의 왠지 스산하고 섬뜩한 대꾸였다. 사람들은 입을 쩍 벌린 채 지붕 위를 올려다보았다.

강만리는 엉덩이를 긁적이며 중얼거렸다.

"그럼 교자를 다시 조립해서 간단하게나마 마차로 만들면 좋겠는데…… 바퀴야 수레바퀴로 대신하면 되고."

"굳이 그렇게까지 할 필요가 있을까?"

지붕 위의 주인장이 눈살을 찌푸리며 물었다. 강만리가 의아한 표정을 지으며 주인장을 올려다보았다.

"그건 무슨 말씀입니까?"

"수레에다가 대충 비나 햇빛을 가릴 가림막을 만드는 게 더 낫지 않느냐는 게지. 그게 교자를 분해해서 마차로 만들고, 수레바퀴를 떼다가 그 마차에 덧대는 것보다 훨씬 빠르고 능률적일 것 같은데."

"아, 그러네요."

강만리는 살짝 얼굴을 붉혔다. 확실히 자신의 계획보다

그게 더 나았다. 아니, 자신의 생각은 애당초 계획이라고 할 수 없을 정도로 끔찍하고 조잡한 발상이었다.

사실 조금만 더 생각하면 누구나 다 생각할 수 있는 것이었다. 그저 강만리가 교자에 너무 생각이 매몰되다 보니까 저런 얼토당토않은 발상이 나왔던 게다.

그런 법이다. 아무리 천하의 강만리라 할지라도 사고가 경직되고, 시야가 좁아지면 이런 말도 안 되는 계획을 세울 수도 있는 것이다.

뚱보 주인장이 다시 입을 열었다.

"조금 전 내가 나왔던 집 기억하나?"

"아, 네."

"거기 주인장 실력이 제법 뛰어나지. 그 정도라면 쉽게 만들 수 있을 걸세."

"그러면 다행이네요."

강만리는 한 차례 고개를 크게 끄덕이고는 양위를 돌아보며 말했다.

"그럼 마을 사람들을 만나서 말과 수레 네다섯 대 정도를 수배해 주시오. 그리고 그 솜씨 좋은 목수를 찾아가 개조를 부탁하고."

"알겠습니다."

양위는 곧장 서너 명의 수하를 이끌고 유명촌으로 향했다. 남아 있던 무사들은 알아서 유랑객잔 뒤쪽으로 임시 막사를 치기 시작했다.

막사라고 해 봤자 특별할 게 없었다. 기다란 창을 거꾸로 땅에 박아서 뼈대를 만들고 그 위에 기름을 먹여 방수(防水) 처리를 한 두꺼운 천을 뒤집어씌우는 것으로 뚝딱 막사 하나가 만들어졌다.

물론 임시 침상 같은 건 있을 리가 없었다. 간단하게 땅을 다지고 돌멩이들을 치운 다음, 우장과 웃옷을 벗어 요를 만들면 그게 바로 잠자리였다.

외양이야 형편없어 보이지만, 거센 모래바람과 비를 막아 주어 의외로 상당히 편안하게 휴식을 취할 수 있는 공간이었다.

강만리는 열심히 임시 막사를 설치하는 수하들을 향해 뭔가 한마디 격려나 위로의 말을 하려다가 입을 다물었다. 그러고는 엉덩이를 긁적이며 객잔 대청으로 들어섰다.

이내 그의 눈살이 절로 찌푸려졌다. 대청에는 아이들이 마치 그곳이 놀이터인 양 웃고 떠들며 마음대로 뛰어놀고 있었다.

난장판이 따로 없었다.

탁자 밑으로 기어드는 녀석도 있었고, 탁자 위에서 방방 뛰는 놈도 있었다. 대청에는 강정, 담창, 보보, 소군 그렇게 네 아이만 있었음에도 불구하고 정신을 차릴 수가 없을 정도로 부산스러웠다.

“아니, 다들 어디 있는 건데?”

강만리는 마침 그 짧은 발로 탁자 위에서 다른 탁자로 뛰어넘으려던 강정을 허공에서 낚아채며 주위를 둘러보았다. 대청에는 아이들뿐인 것이 아무래도 다들 위층에 올라가 있는 모양이었다.

“아이들만 남겨 놓고? 그러다가 큰일이라도 나면 어쩌려고?”

강만리는 연신 투덜거리며 아이들을 옆구리에 끼고 목덜미를 낚아채는 등 하나씩 붙잡아 자리에 앉혔다. 아이들은 강만리가 자신들과 놀아 주는 것으로 착각하고는 까르르 웃으며 다시 일어나 뛰어가려 했다.

“안 돼.”

강만리는 엄하게 말하고는 담창을 향해 말을 이었다.

“예서 네가 가장 형이니 다른 어른들이 돌아올 때까지는 네가 책임지고 동생들을 돌봐야 한다. 알겠지?”

“네, 알겠어요!”

담창은 언제나처럼 씩씩하게 외쳤다.

‘내가 무슨 말을 한 건지 이해는 하려나?’

강만리는 속으로 한숨을 쉬었다. 그러고는 위층을 힐끗 올려다보며 잠시 망설였다.

‘내가 직접 올라가는 것보다 예예더러 내려오라고 부르

는 게 낫겠지?'

아니면 차라리 뒷마당에서 휴식을 취하고 있는 여인들 중에서 몇 명을 불러 아이들을 돌보라고 할까.

강만리가 그렇게 고민하는 중이었다. 문득 담창의 부드러운 목소리가 들려왔다.

"코딱지 그만 먹어."

'음?'

강만리가 고개를 돌려 아이들을 내려다보았다. 아무래도 강정이 코를 후비다가 나온 코딱지를 빨아 먹었나 보다. 강정이 짧고 통통한 손가락 하나를 편 채 씨익 웃으며 담창을 바라보고 있었다.

강만리는 속으로 중얼거렸다.

'뭐, 어릴 적에는 코딱지 한 번 정도는 누구나 다 먹으니까 말이지.'

강만리가 그런 생각을 하고 있을 때, 담창이 자신의 옷으로 강정의 손을 닦아 주며 말했다.

"코딱지 너무 많이 먹으면 네 아빠처럼 뚱뚱하고 못생겨져. 알겠어?"

'응?'

강만리의 눈이 휘둥그레졌다.

'이건 나 들으라고 하는 소리냐?'

그런 것 같지는 않았다. 이제 겨우 여섯 살 어린 꼬마였다. 그저 순수하고 순진하게, 평소 생각했던 바를 그대로 입에 올리고 있을 뿐이었다.

아니면 평소 누군가로부터 들었던 이야기를 강정에게 전해 주는 것일지도.

강만리가 은근슬쩍 물었다.

"혹시 누가 그러든? 코딱지 많이 먹으면 나처럼 된다고?"

역시 강만리의 추측이 맞았다. 담창이 환하게 웃으며 말했다.

"네. 고 숙부가요. 그리고 화 숙부도 그랬어요."

강만리는 절로 얼굴이 일그러지는 걸 애써 참으며 미소를 지었다. 그러고는 고개를 돌려 밖을 향해 크게 소리쳤다.

"고굉!"

"네!"

뒷마당에서 대답이 빠르게 들려왔다.

부리나케 달려왔다가 영문도 모른 채 꿀밤 한 대를 얻어맞은 고굉을 노려보며 강만리가 입을 열었다.

"애들 잘 보고 있어. 헛소리하지 말고."

고굉은 왜 자신이 얻어맞아야 했는지 물어보려다가 성난 강만리의 눈빛을 보고는 몸을 움츠렸다. 뭔지는 몰라도 자신이 잘못한 게 있는 모양이라고 생각한 고굉은 고개를 숙이며 말했다.

"맡겨만 주십시오. 내 자식처럼 돌보겠습니다."

"하여튼 말 하나는."

강만리는 끄응 하며 자리에서 일어났다. 그는 도대체 무슨 일이 있기에 아이들만 덩그러니 남겨 둔 채 모두 이 층에 모여 있는지 단단히 따질 요량으로 쿵쿵거리며 계단을 따라 이 층으로 올라갔다.

굳이 이 층 객방을 모두 둘러볼 필요도 없었다. 유랑객잔에서 가장 좋은, 볕이 잘 들고 황무지가 훤히 내려다보이는 가장 큰 방에서 인기척이 우수수 새어 나오고 있었으니까.

강만리는 와락 문을 열며 크게 소리쳤다.

"도대체 다들……."

하지만 그의 말은 이어지지 않았다. 방 안을 가득 메우고 있던 긴장된 분위기가, 초조하고 불안한 감정의 소용돌이가 그의 말문을 막았기 때문이었다.

2. 이제부터가 중요하다

널찍한 침상에는 당혜혜가 고통을 참느라 이를 악문 채 누워 있었다.

침상 주변으로 예예를 비롯한 여인들이 모여 있었고, 만해거사가 심각한 얼굴로 당혜혜의 맥문을 짚고 있었다. 장예추와 화군악을 비롯한 사내들은 초조한 듯 방 안을 서성거리며 심각한 표정으로 지켜보는 중이었다.

그 누구 하나 강만리가 문을 열고 들어서는 걸 알아차린 이가 없었다.

"무슨 일이야?"

강만리가 맨 뒤쪽에 서 있던 설벽린의 어깨를 툭 치며 물었다. 설벽린이 화들짝 놀라며 뒤돌아보았다.

"아이구, 놀래라."

설벽린은 강만리의 얼굴을 확인하고는 안도의 한숨을 내쉬었다. 그러고는 눈을 흘기며 말했다.

"거 인기척이라도 내고 좀 들어오시지 그러셨어요?"

"인기척? 내가 얼마나 크게 소리쳤는지 아느냐?"

"아뇨. 모르는데요."

"됐다. 그나저나 무슨 일이냐? 제수씨가 어디가 아픈 건데?"

"아, 형님은 모르셨군요."

설벽린은 낮은 목소리로 소곤거리기 시작했다.

"이곳 대청에 들어서자마자 갑자기 제수씨가 배를 움켜잡으며 신음을 흘리지 뭡니까? 사실 그때까지만 하더라도 우리는 뭘 잘못 먹었나, 하고 가볍게 생각했죠. 하지만 식은땀까지 줄줄 흘리면서 꼼짝도 하지 않는 게, 왠지 불길한 생각이 들더라니까요."

강만리는 인상을 찡그렸다. 가장 중요한 대목만 이야기하면 될 일을 가지고 설벽린은 지금 미주알고주알 이야기를 늘어놓고 있었다.

그렇게 쉴 새 없이 종알거리던 설벽린은 문득 강만리 곁으로 다가와 귀엣말을 건네듯 더욱 목소리를 낮춰 소곤거렸다.

"그런데 갑자기 형수의 발밑으로 물이 흥건한 게 아닙니까? 저는 순간적으로 형수가 소변을 지린 걸까, 생각했는데 알고 보니까……."

"됐다, 그만해라."

강만리가 눈살을 찌푸리며 설벽린의 말을 막았다. 그 정도만 들으면 무슨 일이 있었는지 충분히 알 수 있었다.

'포의수(胞衣水)가 터진 모양이로구나.'

포의수는 자궁의 양막 안에 있는 액체로 양수(羊水)라고도 하는데, 태아의 성장을 돕고 출산할 때 흘러나와 분만을 쉽게 해 주었다.

그 포의수가 터졌다는 건 다시 말해 출산이 곧 임박했다는 의미였다.

'으응? 그런데 팔월 중순이 예정이라고 들었는데……한 달이나 일찍?'

사실 칠삭둥이 팔삭둥이라는 말이 있듯이 출산 예정보다 두어 달 일찍 태어나는 경우는 적지 않았다.

그러나 예정보다 일찍 태어나면 태어날수록 그 출산의 위험도나 태아의 사망 확률이 높아지는 건 당연한 일이었다.

이 시대의 출산은 여인과 아이의 목숨이 모두 걸려 있는, 매우 위험하고 힘들고 어려운 일이었다. 특히 조산(早産)의 경우에는 그 위험도가 더욱 가중되어서, 아주 숙련된 산파라 할지라도 아이와 엄마의 생명을 쉽게 장담하지 못했다.

강만리는 입술을 깨물었다.

왜 방 안의 분위기가 이토록 긴장되고 불안하고 초조한지 알 수 있었다. 강만리 또한 불안하고 초조한 나머지 심장이 두근거리고 있었다.

예정대로라면, 그리고 계획대로라면 당혜혜의 출산은 북해빙궁에 당도한 후에 있어야 했다. 그곳의 노회하고 경험 많은 산파의 주도하에 안정되고 평온하게 애를 낳게 할 계획이었다.

그러나 한 달이나 빠른 조산이 그 계획을 엉망으로 만들었다. 어쩌면 애당초 만삭에 가까운 여인과 함께 너무 먼 여행을 떠난 것인지도 모른다.

'만해 사부가 애를 받아본 경험이 있으시려나?'

출산을 돕는 건 여인들의 일이었다. 사내는 아무리 뛰어난 의생일지라 하더라도 절대 아이를 낳은 장소에 발을 디딜 수가 없었다. 그래서 산파가 필요했다.

아이를 받은 경험이 많을수록, 가령 탯줄이 목에 걸린 태아를 받아 낸 경험이 있다거나 혹은 다리부터 나오는 태아를 살려 낸 경험이 있다거나 할수록 그 산파의 명성은 높아졌고 또한 그녀를 부르는 비용도 비싸졌다.

'이 마을에 산파가 있을 리가…….'

변방의 끝자락에 있는 외지고 조그만 마을이었다. 이런 마을에 산파가 있을 확률이 얼마나 될까.

'조산은 정말 위험하다고 들었는데.'

그의 아들 강정이 태어날 즈음, 강만리는 성도부 최고의 산파로부터 이런저런 많은 조언을 들을 수가 있었다. 특히 산통이 왔을 때, 포의수가 터졌을 때 대처하는 방법에 대해서는 귀에 못이 박이도록 들어야만 했다.

방 입구에 선 강만리의 머릿속에는 온갖 생각들이 마구잡이로 떠올랐다가 사라졌다.

그때였다. 진중한 표정으로 당혜혜의 맥문을 짚고 있던 만해거사가 긴 한숨을 내쉬며 그녀의 손을 놓았다.

사람들의 얼굴에 긴장의 빛이 스며들 때, 만해거사가 자리에서 일어나 뒤를 돌아보며 천천히 입을 열었다.

"산모와 태아 모두 건강하네."

"아아……."

"다행이다, 정말."

사람들의 입에서 절로 안도의 탄식이 흘러나왔다. 굳건히 서 있던 장예추의 몸이 살짝 흔들리는 것 같았다. 화군악이 그의 어깨를 다독이듯 감쌌다.

나찰염요가 사내들을 돌아보며 말했다.

"자, 그럼 남정네들은 모두 밖으로 나가세요. 뜨거운 물을 준비하고, 깨끗한 수건을 최대한 많이 가져오세요. 아, 혹시 이 마을에 산파가 있는지도 알아보시고요."

"아, 알겠네. 뜨거운 물이란 말이지?"

"알겠습니다. 그럼 저는 수건을 챙기죠."

"산파라고 하셨죠?"

나찰염요의 지시에 사내들이 빠르게 움직였다. 그동안 얼마나 눈앞의 상황에 집중하고 있었는지, 방을 빠져나가려다가 그제야 강만리를 알아챈 자들도 있었다.

"나가자."

화군악이 장예추의 어깨를 잡아끌며 말했다.

"응? 아, 그래야지."

장예추가 허둥거렸다.

"잠깐만요."

그때, 나찰염요가 화군악을 제지했다.

"장 도련님은 잠시 남아서 혜혜 동생과 이야기 좀 나누세요. 이제부터가 중요하니까요."

이제부터가 중요하다.

그렇게 말하는 나찰염요의 표정은 그 어느 때보다도 진지하고 결연해 보였다. 장예추는 저도 모르게 마른침을 꿀꺽 삼켰다.

"그래. 지금이 중요하네. 아이 아빠로서, 그리고 여인의 남편으로서."

강만리가 그의 등을 떠밀었다. 장예추가 앞으로 밀려 나갔다.

침상 주위를 에워싸고 있던 여인들이 길을 터 주는 동시에 밖으로 나갔다. 나찰염요와 만해거사도 잠시 자리를 비웠다. 마지막으로 강만리가 문을 닫았다.

이제 방 안에는 당혜혜와 장예추만 남게 되었다.

장예추는 머뭇거리다가 조심스레 침상으로 다가가 무릎을 꿇었다. 그리고 다정한 손길로 당혜혜의 얼굴을 쓰다듬었다.

불현듯 찾아오는 격통에 이맛살을 모으고 이를 악물던 당혜혜가 힘겹게 눈을 떴다. 장예추를 본 그녀가 문득 눈물을 글썽거리며 억지로 입을 열었다.

"미안해요."

장예추가 화들짝 놀라며 입을 열었다.

"미안하다니? 뭐가? 왜?"

"갈 길이 멀고 급한데…… 이렇게 갑자기……."

"아냐, 아냐. 그게 어찌 당신이 사과할 일인가? 아이를 낳는 건 하늘의 점지, 따지려 들면 하늘을 탓하는 게 옳지. 당신은 잘못한 게 하나도 없어."

장예추는 창밖 하늘을 향해 주먹질하며 말했다.

언제나 당당하고 자신감이 넘치던 아내가 눈물을 글썽이며 약한 모습을 보이자, 장예추는 그 어느 때보다도 가슴이 쓰라리고 아팠다.

그래서였다. 더욱 호들갑스럽고 더욱 활달하게 말을 한 것은.

그의 노력이 통했을까. 당혜혜는 눈물을 훔치고는 피식 웃으며 입을 열었다.

"정말 누구를 닮았는지, 성격이 급한 아이네요."

장예추가 고개를 끄덕이며 말했다.

"돌아가신 우리 아버지께서 조금 성격이 급하셨거든."

"그렇군요. 그럼 이 아이는 할아버지를 닮은 거네요."

장예추는 당혜혜의 식은땀으로 흥건히 젖은 머릿결을 쓸어 넘기며 차분하게 말했다.

"고마워."

"뭐가요?"

"내 아내가 되어 줘서. 그리고 내 아이의 엄마가 되어 줘서."

"갑자기 무슨 그런…… 으음."

당혜혜는 다시 이를 악물고 고통을 견디지 못해 허리를 틀었다. 복부 저 깊은 곳이 조금씩 벌어지면서 이는 격통은, 지금껏 겪었던 그 어떤 아픔보다도 강렬하게 그녀의 전신을 휘감았다.

장예추가 화들짝 놀라며 말했다.

"형수를 불러올까? 아니면 만해 사부를……."

"으음. 아니, 괜찮아요."

당혜혜는 힘없이 말했다.

격통은 놀이나 해일처럼 순식간에 크게 일었다가 사라졌다. 문제는 언제 그 격통이 찾아올지 모른다는 점이었고, 고통에 미리 대비하고 준비하지 못한다는 것이 더욱 사람을 불안하고 초조하게 만들었다.

그 격통 중에 이성을 잃고 광분하거나 심지어 혼절까지 하는 임부들도 적지 않았다.

하지만 당혜혜는 일반 여염집 처자가 아니었다. 그녀는 언제 격통이 밀려들지 모르는 상황에서도 침착하고 차분하게 말했다.

"너무 걱정하지 말아요. 만해 사부께서 우리 둘 다 건강하다 하셨으니까요. 당신은 아이 이름이나 생각해 두세요."

당혜혜는 되려 안절부절못하는 장예추를 위로하고 있

었다.

사실 지금 장예추는 머릿속이 새하얗게 변해 있었다. 무슨 말을 해야 할지, 어떻게 행동해야 할지 전혀 알 수가 없었다. 또 자신이 지금 무슨 말을 하고 있는지도 알지 못했다.

그래서였다. 평소와는 달리, 조금 전 그렇게 닭살 오르는 이야기를 아무런 스스럼없이 말한 것은.

3. 내내(奶奶)

"산파?"

지붕 수리를 마치고 내려오던 뚱보 주인장은 느닷없이 달려온 화군악과 설벽린들의 물음에 고개를 갸우뚱거리며 되물었다.

"산파는 왜 찾는데? 누가 아이라도 낳는 겐가?"

"그러니까 산파를 찾죠. 설마 개가 새끼를 낳는다고 찾겠습니까?"

"말이 그렇다, 군악."

설벽린이 화군악을 나무라고는 다시 뚱보 주인장을 돌아보며 물었다.

"우리 막내 제수씨에게 갑자기 산통이 있어서요. 혹시

이 마을에 산파가 있을까요?"

화군악이 고개를 끄덕이며 중얼거렸다.

"그렇지. 우리 막내 제수씨지."

뚱보 주인장은 "허어." 하면서 놀란 얼굴로 말했다.

"이거 경사가 아닌가? 내가 이곳 유명촌에 자리를 잡고서 처음 아이가 태어나는 거니까 말이지."

일순 약간의 기대와 희망을 가지고 뚱보 주인장을 쳐다보던 사람들의 얼굴에 실망의 표정이 떠올랐다. 그렇게 오랫동안 이 마을에서 출산한 사람이 없었다면, 당연히 산파라는 것도 존재하지 않을 터였다.

뚱보 주인장을 에워싸고 있던 사내들과 여인들이 어깨를 축 늘어뜨리고 몸을 돌렸다. 뚱보 주인장이 그 뒷모습을 바라보며 입을 열었다.

"흠, 태산낭랑(泰山娘娘)이라고 불리는 노파가 있기는 한데……."

일순 몸을 돌렸던 이들이 일제히 다시 고개를 돌려 뚱보 주인장을 쳐다보았다. 그는 어색한 표정으로 머리를 긁적이며 말을 이었다.

"지금은 태산낭랑이라는 별명보다는 그냥 내내(奶奶)라고 부르고 있지. 애를 받아 본 경험이 있는지는 잘 모르겠지만 뭐 그래도 별호가 별호니까 말이지."

사람들은 서로의 얼굴을 돌아보았다.

* * *

낭랑(娘娘)은 여인을 높여 부르는 칭호였으며, 도교(道教)에서는 신(神)을 지칭하는 이름이기도 했다. 수많은 낭랑신(娘娘神) 중에서 태산낭랑은 가장 사람들에게 익숙하고, 사람들을 행복하게 만들어 주는 신이라 할 수 있었다.

태산낭랑은 태산을 지배하는 동악대제(東嶽大帝)의 딸로, 태산노모, 태산성모, 천선옥녀, 태산내내, 천선낭랑 등의 이름으로도 불리지만 그 정식 명칭은 벽하원군(碧霞元君)이었다.

혼인과 출산, 액막이, 출세를 비롯해 여인의 수호신으로도 숭배받는 그녀는 곧 동쪽의 나라의 삼신할미와 같은 존재라 할 수 있었다.

내내(奶奶)는 할머니를 가리키는 말이었으니, 젊은 시절 낭랑으로 불렸다가 나이가 들면서 내내로 호칭이 바뀌는 건 당연한 일이었다.

화군악과 설벽린은 유랑객잔 뚱보 주인장의 소개를 받아 그 내내를 찾아갔다. 내내는 유명촌에서도 유랑객잔에서 가장 멀리 떨어진 외곽 지역의 좁고 허름한 움막에 살고 있었다.

"여신(女神)의 거처라 하기에는 너무 볼품이 없는걸."

화군악이 움막을 둘러보며 중얼거렸다. 설벽린이 피식 웃으며 말을 받았다.

"그깟 별호로 여신 운운한다면 강호에는 수백, 수천의 신들이 살고 있겠구나."

강호 무림인들의 별호는 대체로 지인이나 세상 사람들이 만들어 불렀다.

무공이 강하거나 인망이 두터운 고수들에게는 경외심과 두려움을 담아서 신마(神魔)의 별호를 만들어 주었고, 태군(太君)이니 노군(老君)이니 낭랑(娘娘)이니 존자(尊者)니 해서 도불교(道佛敎)의 신들을 지칭하는 별호를 선사하기도 했다.

가끔 스스로 자신의 별명을 만들어 붙이고 다니는 자들 또한 온갖 신마의 이름으로 자신의 위엄과 흉포함을 강조했다.

그런 자들의 별호까지 생각한다면 설벽린의 말마따나 강호에는 수천 명의 신마들이 살고 있는 셈이었다.

"내내는 안에 계십니까? 유랑객잔의 주인장으로부터 소개를 받고 찾아왔습니다."

화군악이 목청을 다듬어 움막 안의 사람을 불렀다. 잠시 기다렸지만 대답이 없었다.

화군악은 고개를 갸웃거렸다. 이미 천조감응진력을 통

해 움막 안의 기척을 확인한 터였다.

그럼에도 불구하고 대답하지 않는 건 보통 두 가지 이유에서였다. 하나는 대답하기 싫어서, 다른 하나는 대답할 상황이 아니라서.

'대답하기 싫은 건가?'

화군악은 살짝 기분이 나빠졌다. 그는 일부러 목소리에 내공을 실어서 오롯하게 움막 안으로만 향하게끔 소리를 내었다.

"내내는 안에 계십니까? 유랑객잔의 주인장으로부터 소개를 받고 찾아왔습니다."

일순 움막이 크게 들썩거렸다. 주변 다른 움막들은 전혀 미동도 하지 않는 상황에서 오로지 그 움막에만 지진이 일어난 것처럼 대들보가 흔들리고 벽에 균열이 일었다.

그제야 비로소 움막 안에서 반응이 있었다.

"쳇!"

혀를 차는 목소리가 들려왔다.

"저귀와 관련되면 늘 이렇게 귀찮은 일이 벌어진다니까."

내내, 할머니라고 하기에는 너무나 맑고 고운, 그러면서도 삼십 대 초반의 요염하고 매혹적인 목소리가 움막 안에서 흘러나왔다.

화군악은 저도 모르게 눈을 동그랗게 뜨고 설벽린을 돌아보았다. 설벽린 또한 그 아름다운 목소리에 사뭇 놀란 듯 경직된 표정을 짓고 있었다.

"게서 뭣들 하는 겐가? 집이 무너지기 전에 어서들 들어오게."

청량한 목소리와는 어울리지 않는 말투였다. 화군악은 살짝 고개를 숙이며 말했다.

"그럼 실례하겠습니다."

"실례는 무슨. 대꾸하지 않았다고 해서 남의 집을 허물 뻔해 놓고."

화군악은 내내의 투덜거리는 목소리를 들으며 저도 모르게 피식 웃었다. 왠지 그녀가 자신과 잘 맞을 것 같다는 생각이 들었다.

화군악은 활짝 웃으며 당당하게 움막 안으로 들어섰다. 설벽린도 어슬렁거리며 그 뒤를 따랐다.

반 평 조금 넘어 보이는 조그만 방이었다. 가재도구라고는 침상 하나와 장 하나가 전부였다.

나무로 만든 침상 위에 사내처럼 가부좌를 튼 한 노파가 앉아 있었다. 화군악과 설벽린은 두 손을 모으고 공손히 인사했다.

"성도부의 설벽린이 내내를 뵙습니다."

"성도부의 화군악이 내내께 인사드립니다."

노파는 눈을 반쯤 감은 채 화군악과 설벽린을 쓸어 보다가 나지막하게 말했다.

"집 무너지지 않았으니 어디에든 앉게."

"죄송합니다, 내내."

화군악이 웃으며 자리에 털썩 주저앉았다. 그러고는 설벽린에게 전음을 보냈다.

-변장한 걸까요?

설벽린도 자리에 앉으며 고개를 살짝 저었다. 아쉽게도 아직 설벽린은 전음을 펼칠 줄 모르고 있었다.

-그런데 어찌 저렇게 피부가 탱탱하고 고울 수가 있죠? 마치 우리 또래처럼 말입니다.

화군악은 살짝 놀란 눈빛으로 노파를 쳐다보며 그렇게 전음을 보냈다. 설벽린은 할 말이 많았으나 아무 말도 하지 못한 채 답답한 표정을 지었다.

"왜?"

그런 두 사람을 지켜보던 노파가 문득 빙긋 웃으며 입을 열었다.

"내가 너무 아름다운가?"

"네."

화군악은 서슴없이 대답했다.

"뚱보 주인장의 이야기를 들을 때만 하더라도 평범한

할머니를 떠올렸습니다만, 지금 이렇게 직접 뵈니 마치 제 누이동생처럼 젊고 아름다우시네요."

"오호, 자네의 누이동생이 그리 아름다운가?"

"아뇨. 만약 있다면 말입니다. 아쉽게도 누이동생이 없습니다."

"허어."

노파는 어이가 없다는 표정을 지었다.

그 새초롬한 표정도 너무나 해맑고 아름다워서 화군악은 지금 자신의 상황과 처지도 잊은 채 그만 가슴이 두근거렸다.

도대체 왜 이 아름다운 여인은 스스로를 가리켜 내내라 부르고, 또 뚱보 주인장 또한 그녀를 할머니라 부를까.

물론 그녀의 머리카락은 예의 평범한 노파들처럼 새하얬다. 체구는 조그맣고 왜소해서 만약 지팡이를 들고 걸어가는 그녀의 뒷모습을 봤더라면 확실히 평범한 할머니라고 생각했을지도 모른다.

하지만 그녀의 얼굴은 주름살 하나 없이 탱탱하고 윤기가 흘렀다. 반달 같은 눈에서는 초롱초롱한 빛이 흘러나왔고, 코는 오뚝했으며 입술은 앵두처럼 붉게 반짝였다.

놀랍게도 그녀는 그 새하얀 머리카락과 노인 특유의 의상만 아니라면 삼십 대, 아니 이십 대의 아름다운 처자라 해도 믿을 수 있을 것 같은 미모였다.

화군악이 그렇게 노파의 아름다운 얼굴에 쏙 빠져 있을 때, 그래도 몇 살 많은 형님이라고 설벽린이 차분한 어조로 입을 열었다.

"실은 우리 가족 중에 출산이 임박한 사람이 있습니다. 유랑객잔 주인의 말에 따르자면 내내의 별호가 태산낭랑이라더군요."

노파는 고개를 끄덕이며 말했다.

"아주 오래전에 그리 불린 적이 있지."

"그래서 혹시, 아이를 받아 본 경험도 있지 않을까 싶어서 이렇게 찾아왔습니다."

"그래, 산파를 구하러 왔다는 게로군."

"예, 맞습니다."

"아주 급한 모양일 테고."

"산통이 시작되고 포의수가 터진 상황입니다."

설벽린의 대답을 들은 백발의 노파는 문득 묘한 미소를 지으며 입을 열었다.

"뭐 그럼 황금 만 냥이면 되겠군."

"네?"

그녀의 느닷없는 이야기에 설벽린은 물론 화군악도 눈이 동그랗게 변했다. 백발의 노파, 한때 태산낭랑이라 불렸던 태산내내는 진지한 얼굴로 말했다.

"애를 받아 주는 비용 말이네. 황금 만 냥이 아니면 애를 받지 않겠네."

화군악과 설벽린은 이번에는 또 다른 의미의 표정을 지은 채 서로를 돌아보았다.

9장.

아들이라면 이름을

가주의 적자(嫡子), 즉 소가주가 될 아이는 선천적으로 강하게 태어날까.
아니다. 그들은 태어난 후 인위적으로 강하게 만들어지는 것이다.

1. 돈줄

“너무 비싼 것 아닙니까?”

“비싸다고 여겨지면 자리를 떠도 되네.”

“아무리 그래도 그렇지 세상에, 애 한 번 받아 주는데 황금 만 냥이라니요.”

“그 애가 아무 애가 아니지 않나? 자네들의 가족이라면서?”

“그렇기는 합니다만…….”

“설마 내가 마구잡이로 그리 부른 줄 아나? 다 사람 보고 제대로 가격을 책정한 것이네.”

“우리에게 그만한 돈이 있다고 생각하십니까?”

"그리 생각하지 않았다면 왜 황금 만 냥을 불렀겠는가?"

"왜 그리 생각하셨는데요?"

"그야 자네들이 저귀의 소개를 받고 왔으니까."

"이해가 가지 않습니다만."

"저귀의 친구인 게니까. 저귀는 아무나 친구로 삼지 않지. 지금껏 수많은 이들이 저귀의 객잔을 오갔지만 그의 소개를 받아서 나를 찾아온 이는 자네들이 처음이니까."

"그야 그 유랑객잔을 오갔던 수많은 손님 중에서 지금 우리처럼 산통을 겪고 포의수가 터진 경우는 한 번도 없었을 테니까요."

"아니지. 만약 다른 손님에게 그런 일이 생겼다 한들, 저귀는 나를 소개하지 않았을 게야."

"그건 어디까지나 추측이고 가정이 아닙니까? 만약이라는 말을 붙이면 세상에 안 될 일이 어디 있다고요. 만약 내가 공부만 잘했더라면 지금쯤 정승이 되었을 거다, 이런 식으로 말입니다."

"만약이 아니네. 추측도 가정도 아니지. 평소 저귀의 성격이라면 절대 나를 소개시켜 주지 않았을 것이야. 정 내 말이 미덥지 않다면 가서 저귀에게 물어보게나."

"하아. 뭐, 그렇다고 칩시다. 내내 말씀대로 그 곰 같은 뚱보 주인장이 우리를 자신의 친구라고 생각한다고 합시다. 그렇다고 해서 우리가 돈이 많다고 생각하는 건 너무 억지가 아닐까요?"

"아니, 당연히 돈이 많을 것이야."

"왜죠?"

"아까 사천 성도부 사람들이라고 소개했지? 그 먼 곳의 사람들이 그저 저귀를 만나고 싶어서 예까지 오지는 않았을 게야. 그것도 가족, 더더군다나 곧 출산이 임박한 가족까지 대동한 채 말이지. 흠, 어쩌면 야반도주를 했을 수도 있겠고, 또 어쩌면 누군가를 피해 도망치는 중일지도 모르지. 어쩌면 둘 다일 수도 있겠고. 뭐, 어쨌든 그렇게 대규모의 인원들이 움직이는데 당연히 성도부에 있던 모든 재산도 함께 처분해서 가지고 왔겠지. 그렇지 않나?"

"그건……."

"우리가 대규모 인원이라는 건 또 어찌 아셨습니까?"

"허어, 골방에 앉아 있다고 해서 누굴 귀머거리, 봉사로 생각하나? 이 방에 가만히 앉아서도 다 듣고 볼 수 있다네. 조금 전 유명촌 큰길을 가로질러 유랑객잔으로 향한 자들의 수가 칠십 명 정도 된다는 건 눈 감고도 알 수가 있네."

"으음."

"흐음."

결국 설벽린과 화군악은 입을 다물었다.

나름대로 화술이 뛰어나서 사람을 설득하고 속이기를 잘한다고 자처하던 두 사람이지만, 그들 두 사람조차 입을 다물게 할 정도로 태산내내의 입담은 좀처럼 당해 낼 수가 없었다.

태산내내는 요염한 표정으로 싱긋 웃으며 말했다.

"어찌할 텐가? 황금 일만 냥이면 되는데."

설벽린이 물었다.

"애를 받아 본 경험이 있습니까?"

"내 별명이 태산낭랑이었네, 혼인과 출산을 주관하는."

"말이 길어지는 걸 보니 수상쩍습니다. 애를 받아 본 경험이 있습니까?"

"있네. 그것도 최근까지."

"최근까지요?"

"그래. 뭐 자랑스레 말을 늘어놓을 수도 있겠지만, 그나저나 자네들의 가족이라는 사람이 내 이야기가 끝날 때까지 기다려 줄 수 있겠나? 이미 포의수가 터졌다면서 말일세."

설벽린과 화군악은 또 한 번 서로의 얼굴을 돌아보았다.

뭔가 미심쩍기는 하지만 그걸 일일이 캐묻고 따지고 확인하기에는 그녀의 말대로 시간이 없었다. 최대한 빨리 그녀를 데리고 가야 했다.

그들의 막내 제수씨가 언제 아이를 낳을지 모르는 급박한 상황이 아니던가.

"알겠습니다. 황금 만 냥, 드리기로 하겠습니다."

"아니지, 아니야. 그렇게 말로 때우면 안 되는 것이야. 요즘 세상이 어떤 세상인데 그렇게 말로 끝내려는 겐가? 안 되네. 지금 당장 줘야 하네."

"지금 당장은 없습니다. 객잔에 가시면 그때 드리기로 하겠습니다."

"돈줄이 따로 있거든요."

설벽린과 화군악이 앞다퉈 말했다.

태산내내는 잠시 두 사람을 바라보다가 어쩔 도리가 없다는 듯 한숨을 쉬며 끄응 일어났다.

"할 수 없지. 명색이 그래도 출산을 주관하는 태산내내가 그깟 황금 만 냥 때문에 갓난아기의 출산을 외면할 수는 없으니 말이야. 그럼 앞장서게. 아, 가자마자 그 돈줄에게 돈을 받아 오게나."

앞뒤 다른 말을 천연덕스럽게 늘어놓으면서 태산내내는 침상 옆에 세워 놓은 지팡이를 짚었다.

화군악과 설벽린은 점점 더 불안해지는 느낌을 애써 지우며 천천히 자리에서 일어났다. 설벽린이 한숨처럼 말했다.

"그럼 안내하겠습니다, 내내."

* * *

"이분이 돈줄입니다."

화군악이 강만리를 가리키며 말했다.

강만리의 눈이 휘둥그레질 때, 화군악은 다시 강만리에게 태산내내를 소개했다.

"이분이 태산내내이십니다."

강만리는 좁쌀만 한 눈을 동그랗게 뜬 채 백발과 전혀 어울리지 않은 미모의 얼굴을 바라보다가 퍼뜩 정신을 차리며 두 손을 모으고 허리를 숙였다.

"성도부의 강만리라고 합니다. 이렇게 내내를 뵙게 되어 영광입니다."

태산내내는 강만리의 위아래를 훑어보더니 킬킬 웃었다.

"그랬군. 저 무뚝뚝하고 사람 사귈 줄 모르는 저귀가 느닷없이 외인에게 날 소개한다 했더니, 알고 보니 동생이 있었네."

"동생 아니오."

때마침 주방에서 나오다가 태산내내의 이야기를 들은 뚱보 주인장 저귀가 눈살을 찌푸리며 말하자, 태산내내가 고개를 갸웃거리며 물었다.

"그럼 사촌?"

"아니라니까. 피 한 방울 섞이지 않은 사이오."

"그게 확실한가? 자네 부친이 젊었을 적 여기저기 돌아다니다가 실수라도 했다면?"

"아니오."

"아닙니다!"

태산내내의 말에 저귀와 강만리가 동시에 소리쳤다. 태산내내가 재차 웃었다.

"성질머리도 똑같군그래."

"이럴 때가 아닙니다, 내내. 얼른 이 층으로 가시지요."

설벽린이 황급히 화제를 돌렸다. 태산내내가 '그렇지' 하는 표정을 지으며 말했다.

"그럼 돈."

"무슨 돈?"

강만리가 고개를 갸우뚱할 때, 화군악이 한숨을 쉬며 입을 열었다.

"산파 비용 말입니다."

"응? 아, 그렇지. 당연히 드려야지. 그래, 얼마나……."

"황금 만 냥이요."

화군악의 말에 강만리의 입이 쩍 벌어졌다. 계산대로 향하던 저귀의 발걸음도 얼어붙듯 그 자리에 멈췄다.

강만리는 입을 벌린 채 아무 말도 하지 못하고 태산내내를 바라보다가 겨우 정신을 차리고 한마디 했다.

"허어, 날강도가 따로 없구나."

황금 만 냥은 은자로 치자면 시세에 따라 이십에서 삼십만 냥 정도를 오가는 거액이었다.

물론 강만리에게 그만한 돈이 없는 건 아니었다. 어쨌든 그동안 금은보화를 팔아서 챙긴 전표만 하더라도 수백만 냥에 달하니까.

하지만 겨우 애 하나 낳는 걸 도와주는 일로 은자 이삼십만 냥이라니. 날강도도 이런 날강도가 없었다.

"날강도라니?"

태산내내는 기분 나쁘다는 표정을 지으며 말했다.

"애 낳는 게 쉬워 보이나? 애를 받는 게 간단해 보이나? 아니라니까. 어미 배에서 나오다가 열 중 다섯은 제대로 숨 한 번 쉬지 못하고 죽네. 하지만 실력 좋은 산파가 있다면 죽는 다섯 중 셋 정도는 살릴 수가 있지. 그런데도 날강도? 흥, 그렇게 생각한다면 돌아가겠네. 그깟 황금 만 냥 때문에 내가 그런 치욕적인 소리를 들을 필요는 없으니까."

태산내내가 몸을 돌렸다. 깜짝 놀란 화군악과 설벽린이 황급히 그녀의 양 소매를 잡으며 말렸다. 그리고 빠르게 강만리를 돌아보며 눈짓을 건넸다.

강만리는 속으로 한숨을 내쉰 후 정중하게 말했다.

"죄송하오. 그렇게 산파의 역할이 중요한지 미처 모르고 있었소. 사과드리리다. 황금 만 냥이라 하셨소?"

강만리는 품에서 전표 다발을 꺼내 액수를 확인하고는 몇 장을 건네며 말했다.

"대륙전장의 전표요. 이것 받으시고 노여움을 푸시오."

태산내내는 헛기침을 하면서 입을 열었다.

"자네가 저귀의 아우가 아니었더라면 맹세코 그 돈을 받지 않고 발길을 돌렸을 것이네."

강만리는 더는 아니라고 말할 기력이 없었다.

태산내내는 전표를 받아 들고 눈을 크게 뜨며 액수와 발행 전장의 인장을 확인한 후 품에 넣었다. 그러고는 오만한 눈빛으로 강만리를 쳐다보며 말했다.

"그럼 안내하게."

강만리는 화군악과 설벽린을 바라보았다. 두 사람이 활짝 웃으며 태산내내에게 말했다.

"저희가 안내하죠. 이 층입니다. 자, 어서 안으로 드시죠."

두 사람은 행여나 태산내내가 강만리와 말다툼을 벌일까 봐 두려운 듯 황급히 그녀를 이 층으로 안내했다.

태산내내가 계단을 타고 사라지는 걸 확인한 강만리는 길게 한숨을 내쉬며 고개를 설레설레 흔들었다. 그러고는 계산대에 앉아 있던 저귀를 노려보며 입을 열었다.
"실력은 확실한 겁니까?"
저귀가 어깨를 으쓱거렸다.
"그걸 내가 어찌 아누?"
"네?"
"아까 소개할 때도 분명히 말했잖은가? 산파인지 아닌지는 모르겠지만, 어쨌든 태산낭랑이라는 별호로 불린 적이 있다고 말이네."
"으음."
강만리는 입술을 깨물었다. 정체를 알 수 없는 불안한 기운이 등골을 타고 서늘하게 흘러내리기 시작했다.

2. 많이 컸구나

그렇게 강만리가 입술을 깨물 무렵, 유명촌과는 약 이틀 정도 떨어진 황무지 어딘가에서는 살막의 왕야상이 한탄하듯 중얼거리고 있었다.
"이거야 원, 사막에서 바늘 찾는 게 더 빠를 것 같군. 이럴 줄 알았다면 어떡해서든지 천리향(千里香)을 묻혀 두었을 것을."
"그렇군. 천리향이라도 있었으면 이렇게 고생하지 않

았을 텐데. 왜 그런 좋은 생각을 이제야 하는 겐가?"

"일이 이렇게 될 줄 누가 알았나?"

왕야상은 한숨을 쉬며 주위를 둘러보았다. 언제 그렇게 폭우가 쏟아졌냐는 듯 뜨거운 햇살이 내리쬐는 가운데, 드넓고 광활한 황무지에서는 뜨거운 열기가 아지랑이처럼 피어오르고 있었다.

동서남북을 가늠할 수 없을 정도로 사방이 똑같은 풍경이었다. 이 살벌하고 황량한 황무지에서 아무런 흔적도 남기지 않은 누군가를 찾아낸다는 건 그야말로 불가능한 일에 가까웠다.

모든 흔적은 폭우와 함께 사라졌다. 놈들이 도망치면서 남겼을 흔적은 폭우가 만들어 낸 흙탕물과 진흙탕과 개울 속으로 사라졌다.

그러니 왕야상과 최자가 이끄는 살막의 고수들은 비가 그친 후 생겼을, 새로운 흔적을 찾아서 그 뒤를 쫓아야만 했다.

문제는 비가 그치기 전까지 놈들이 어느 방향으로 얼마나 이동했는지를 모른다는 점이었다.

물론 놈들의 행적을 최소한으로 좁힐 수는 있었다. 우선 남쪽이나 서쪽은 아닐 것이다.

북쪽이나 동쪽, 그리고 이틀의 시간. 그렇게 좁혀 보자면 놈들은 지금쯤 유주 끝자락에 당도했을 것이다.

"북쪽으로는 몽고 초입에서 북해, 동쪽으로는 요동 땅까지가 수색 범위인데 겨우 이 인원으로 그 광활한 지역을 모두 수색할 수는 없단 말이지."

"그렇다면 더욱 행적을 좁혀 보는 건 어떨까?"

최자의 제안에 왕야상은 콧잔등을 찌푸렸다.

"더욱 좁혀 보자고? 어떻게?"

"그야 자네가 생각해야지."

"흠. 놈들이 마차와 말을 버리는 대신, 교자를 만들어 이동했거든. 분해된 마차의 잔해를 보건대 대충 세 대, 혹은 네 대 정도의 교자를 만들었을 게야."

"그렇지. 그렇다면 아무래도 먼 길을 이동하기에는 무리겠지. 무엇보다 식량이 부족할 테니까."

"그래. 물론 건량을 챙기기는 했겠지만 칠십여 명 가까운 인원이니까. 건량만으로 닷새, 열흘 내내 쉬지 않고 이동하는 건 무리야. 게다가 계집들과 아이들도 있으니 말이지."

"그렇다면 어딘가에서 휴식을 취하고 식량을 보충해야겠군. 물도 말이야."

"그렇겠지. 유주에는 그런 대규모 인원이 쉴 만한 마을이 그리 많지 않고. 가만있자, 유주에 죄인들이나 살인자들이 도망쳐서 은거하는 마을이 있지 않던가?"

"음, 들어 본 것 같네. 유명촌이라고 했던가?"

"그래, 유명촌."

왕야상의 눈빛이 빛났다.

유명촌은 유주 끝자락에 위치해 있었다. 북으로는 북해로 이어지고 동쪽으로는 조선과 여진으로 빠지는 길목에 자리를 잡아서, 한때는 제법 오가는 상인과 여행객들로 붐비던 마을이었다.

"그 유명촌을 찾아갔을 확률이 최소한 절반은 넘겠군."

"절반이 넘는다면 지금 상황에서 그보다 좋은 확률이 어디 있겠나?"

"그렇지. 무작정 그 넓은 땅을 헤매고 다니는 것보다는 백배 나은 일이야. 그럼 유명촌으로 먼저 사람을 보내서 확인해 볼까? 아무리 늦춰 잡아도 이틀이면 결과를 알 수 있을 테니까. 그동안 우리는 막주께서 보내실 원군을 기다릴 겸 다른 지역도 수색하는 것일세."

"좋은 방법이네. 마냥 유명촌으로 모든 전력을 투입했다가 낭패를 보는 것보다는 그렇게 수하들을 분산시켜 확률을 최대한 끌어올리는 게 현재로서는 최상의 방법인 것 같네."

언제나처럼 왕야상이 말하고 최자가 보충하는 식으로 이야기는 끝이 났다.

왕야상은 금면의 수하들 중 가장 빠르고 은밀한 자들 셋을 골라 유명촌으로 보냈다.

그리고 남은 전력으로는 물론 유명촌과의 거리를 최대한 가깝게 유지하면서, 또 지금까지와 마찬가지로 반원(半圓)의 형태를 그리며 수색 범위를 넓혀 나가기 시작했다.

* * *

노을이 광활한 황무지에 붉은빛으로 내려앉을 무렵. 한적하다 못해 을씨년스럽기까지 했던 유랑객잔이 정신없을 정도로 북적이고 있었다.

워낙 조그만 객잔이다 보니 화평장 무사들이 한 번에 식사할 수가 없어서, 두 개의 조로 나눠 돌아가며 식사를 해야만 했다.

그마저도 뚱보 주인장 저귀 혼자서 감당할 수가 없어서 초목아와 담호가 점소이처럼 이리저리 대청을 돌아다니며 음식을 날랐다.

저녁 식사는 평범하고 단출했다. 속이 들어 있지 않은 커다란 만두 두 개, 돼지 살코기를 가늘게 썬 다음 온갖 야채와 함께 볶은 후 전분과 육수를 넣어 걸쭉하게 만든 어향육사(漁香肉絲), 그리고 뜨거운 국물과 두어 가지 채소 요리가 전부였다.

"뭐야? 그토록 자랑하던 꿩국은?"

"내가 이 사람들 모두 먹을 수 있는 꿩국을 미리 끓여 놓고 준비하고 있을까? 헛소리하려면 와서 그릇이나 닦아!"

화군악이 투덜거리는 소리가 주방까지 들렸는지, 뜨거운 불길 앞에서 커다란 솥을 흔들며 고기를 볶던 저귀가 크게 소리쳤다.

화군악은 깜짝 놀라 입을 다물었고, 설벽린이 웃으며 말했다.

"이 정도 인원이 먹을 수 있는 양이라면 최소한 스무 마리 이상의 꿩이 필요하겠다. 이 황무지에서 그만한 꿩을 어디서 구한다니? 황궁처럼 따로 저장고가 있을 리도 없는데."

"흠, 그래도 이건 너무 소박한 게 아닙니까?"

"이 변방 외진 곳에서 이 정도면 진수성찬이지. 여기서 더 바라는 건 도둑 심보라고."

"하지만 이 한 끼가 한 사람당 은자 한 냥이라고요. 말이나 되는 가격입니까?"

"그게 싫으면 다른 곳에서 먹어야지 뭐."

그렇게 말한 설벽린은 문득 미소를 지으며 중얼거렸다.

"흠, 생각해 보면 나름 알짜배기 장사 수완인걸? 주변 이삼백 리 안에는 다른 마을이 없고, 이 마을에도 객잔이라고는 오직 이곳 한 곳뿐이니……. 결국 여행객들은 울며 겨자 먹기로 비싼 돈을 주고 예서 끼니를 때울 수밖에 없으니 말이야. 나도 한번 진지하게 고민해 봐?"

"음? 나름 맛은 나쁘지 않네요?"

설벽린이 중얼거리는 동안, "칫." 하면서 포기하듯 만두를 찢어서 어향육사의 걸쭉한 양념을 묻혀 한 입 베어 물던 화군악의 눈이 휘둥그레졌다.

그는 이내 젓가락으로 실처럼 가늘게 썰린 고기와 청경채 등 야채를 집어삼키고 우물거렸다. 이내 그의 입에서 절로 "으음." 소리가 새어 나왔다.

"그리 맛있나?"

설벽린이 호기심을 참지 못하고 어향육사를 집어 먹기 시작했다. 그 역시 화군악과 반응이 별반 다르지 않았다.

"오호, 정말 괜찮은데. 조금 짠 걸 제외한다면 상당히 맛있는 음식이네."

짠 건 북쪽 지방 요리의 특징이었다.

대륙의 요리들이 각 지역마다 맛이 달라서, 북쪽은 짜고 남쪽은 달고 동쪽은 시고 서쪽은 매운 게 특징이었다. 북함(北咸) 남첨(南甛), 동산(東酸), 서랄(西辣)이라는 말이 전해져 내려오는 배경이었다.

이 어향육사는 일반 가정집에서 즐겨 먹는 요리 중 하나로, 그 맛이 짜거나 달거나 혹은 맵거나에 따라서 그

집 안주인의 고향이 어디인지 알 수가 있었다.

"조금 짜기는 하지만 이 만두에 곁들여 먹으면 딱 간이 맞아요."

화군악은 연신 만두를 찢어서 어향육사의 걸쭉하고 진한 국물에 찍어 먹거나 고기를 얹어서 먹었다.

목이 메거나 조금 짜다 싶을 때는 고깃국물 한 모금이 제격이었다. 어향육사와는 달리 의외로 간이 세지 않아서 짠 기를 덜어 내기에는 충분했다.

화군악과 설벽린만 감탄한 모양이 아닌 듯했다. 화평장 무사들 모두 만두와 어향육사를 곁들인 식사에 만족하는 듯 왁자지껄 떠들고 웃으며 대화를 나눴다.

그 바람에 식사 시간이 길어져서 대기하고 있던 무사들은 한없이 배를 곯아야 했다.

폭풍과도 같은 시간이 흐르고, 대청에는 텅 빈 그릇들만이 가득 쌓여 있었다.

한 시진 가까이 주방과 대청을 오가며 그릇을 나르던 담호와 초목아는 물론, 그 시간 내내 주방의 불길 앞에서 어향육사를 만들어 냈던 저귀도 진이 다 빠진 듯 축 늘어져서, 그들 모두 대청 탁자에 가득 쌓인 그릇들을 치울 엄두조차 내지 못하고 있었다.

"고맙구나."

저귀가 수건으로 온몸의 땀을 닦으며 말했다.

"뭘요."

담호가 웃으며 말했다.

"제가 아저씨를 도와 드릴 수 있을 정도로 컸다는 게 외려 더 기분이 좋은데요."

"그러냐?"

저귀는 눈을 가늘게 뜬 채 담호를 바라보다가 희미하게 고개를 끄덕이며 물었다.

"몇 년 만이지?"

"오륙 년 정도 되지 않았을까요?"

"그런가? 확실히 많이 컸구나."

"하하, 키가 제법 많이 자랐죠?"

"음? 키는 뭐 그런데…… 네가 그렇게 웃으며 나와 대화를 나눌 수 있게 되었다는 점이 많이 컸다는 뜻이다."

"아."

담호의 얼굴이 살짝 붉어지는 듯했다.

어린 시절, 납치당한 엄마를 찾기 위해 떠난 여행길에서 만났던 저귀는 확실히 무서운 아저씨였다. 그리고 담호는 아버지 뒤에 숨어 눈치를 살피면서 쑥스러움을 잘 타던 어린 꼬마였다.

"뭐 어쨌든 두 사람 모두 제대로 일을 했으니까 돈을 줘야겠지?"

초목아는 반색했지만 담호는 난감한 표정을 지으며 손사래를 쳤다.

"괜찮아요. 돈을 받을 정도로 일한 건 아니잖아요. 게다가 아저씨에게 어떻게 돈을 받을 수 있어요?"

"아니다. 돈 관계는 부자지간에도 철저해야 하는 법이다. 게다가 어찌 내가 네 돈을 떼어먹을 수 있겠느냐? 가만있자, 요즘 하루 일당이 얼마더라."

"아뇨, 저는 됐습니다. 목아 누나에게만 주세요."

담호가 그렇게 말하자 초목아도 쉽게 돈을 받을 수가 없게 되었다. 그녀는 담호를 향해 한 차례 눈을 흘긴 다음, 저귀를 돌아보며 배시시 웃었다.

"그럼 저도 괜찮아요. 저만 받을 수는 없으니까요. 빚이라 생각하고 다음에 주세요."

"허어, 이 녀석들 보게."

저귀는 난감한 표정으로 머리를 긁적였다.

3. 무행(武行)

저귀는 언제나 계산에 철저했다. 받을 돈은 반드시 받고, 갚을 돈은 한 푼 모자람 없이 갚았다. 그는 특히 빚을 지는 걸 결벽적(潔癖的)으로 싫어했다.

지금 그가 극도로 난감한 표정을 짓고 있는 건 바로 그러한 이유에서였다. '빚으로 생각하고 다음에 달라'는 초목아의 말 한마디가 바로 그러한 저귀의 성격을 건드렸던 것이다.

사실 초목아가 그리 말한 데에는 깊은 뜻이 있는 게 아니었다. 그저 반은 농 삼아 한 말이었는데, 의외로 저귀가 크게 난감해하는 걸 본 초목아는 문득 묘한 미소를 지었다.

눈치 빠른 그녀는 그의 표정을 살피다가 싱글거리며 입을 열었다.

"굳이 꼭 주셔야겠다면 돈 말고 다른 걸 주세요. 아무래도 아저씨께 돈을 받으면 너무 남 같은 느낌이 드나 봐요, 아호는. 그렇지?"

"응? 어, 어."

담호가 엉겁결에 고개를 끄덕이며 대답하자 초목아는 다시 저귀를 향해 말을 이었다.

"뭐 엄청난 걸 원하는 건 아니에요. 우리가 아저씨에게 받는 선물이라고 생각하고 기뻐할 정도면 충분해요."

"허어."

저귀의 낯이 더욱 일그러졌다.

선물이라니, 갈수록 이 꼬마 녀석들이 그를 귀찮게 하며 괴롭히고 있었다.

그는 잠시 기억을 더듬었다.

지금껏 살아오는 동안 누군가에게 선물을 한 적이 있던가.

없었다. 선물을 준 적도, 받은 적도 없었다. 오로지 모든 거래는 철저하게 계산적으로 이뤄졌으며, 기껏해야 이자 정도만 생각해서 돈을 얹어 주거나 받아 냈을 따름이었다.

초목아는 잠시 저귀의 눈치를 살피다가 담호의 손목을 잡아채며 말했다.

"무슨 선물일지 잔뜩 기대하고 있을게요. 그럼 우리는 마저 그릇들을 정리하고 씻겠습니다."

일부러 '잔뜩'이라는 단어에 힘주어 말한 초목아는 담호를 이끌고 대청의 빈 그릇들을 치우기 시작했다.

저귀는 그런 두 소년, 소녀의 뒷모습을 보면서 머리를 긁적였다. 그는 살아오는 동안 몇 번 찾아오지 않았던 위기감을 느끼고 있었다.

* * *

일 층 대청이 식사하는 무사들로 붐비는 동안, 이 층은 이 층대로 매우 분주하고 바쁘게 움직이고 있었다.

그릇과 항아리에 뜨거운 물을 받아 대령해 놓고, 깨끗

하게 빤 수건들을 챙겨서 방 안으로 들고 갔다.

방 안에는 모두 여인들만 있었다. 나찰염요를 비롯한 화평장 안주인들은 백발 미녀의 행동을 집중해서 바라보고 있었다.

백발의 미녀 태산내내는 당혜혜의 양발을 벌리고 허벅지 안쪽, 그 깊숙한 곳을 주의 깊게 살피고 있었다.

"흐음, 아이 머리가 보이는 것이 다행히 난산(難産)은 아니군."

일순 화평장 여인들 모두 안도의 한숨을 내쉬었다. 태산내내는 문득 기억났다는 듯한 얼굴로 웃으며 말했다.

"보름 전인가 받았던 녀석은 뒷발부터 나오는 바람에 꽤 고생했었지. 흐흐흐."

여인들은 저마다 놀란 반응을 보였다.

"세상에나!"

"뒷발부터 나오다니, 그런 경우도 있나요?"

그때였다.

"네? 뒷발이요?"

그녀들 중 소화가 눈을 동그랗게 뜨며 물었다.

"아기에게 앞발, 뒷발이 있나요?"

그녀의 물음에 다른 여인들도 그제야 태산내내의 말이 이상하다는 사실을 깨닫고 정색했다.

태산내내는 살짝 당황한 표정을 지었다가 이내 흘흘 웃

으며 말했다.

"출산이라는 게 어디 사람에게만 해당되는 일인가? 나는 출산이라면 사람은 물론, 짐승들의 출산도 봐 주거든. 송아지나 망아지도 다 같은 어린 생명이니 말일세."

그럴 법한 말이었지만 여인들의 표정이 모호해졌다. 왠지 모르게 그녀가 수상쩍게 느껴졌던 까닭이었다.

태산내내는 헛기침을 하면서 화제를 돌렸다.

"아이가 똑바로 들어선 걸 확인했으니 급할 건 없네. 임자들도 아이를 낳아 본 경험이 있을 테니, 이제 기다리기만 하면 된다는 것 정도는 잘 알고 있을 거라 믿네."

사실이었다.

자궁이 열리고 아기 머리가 보인다고 해서 바로 애를 낳는 건 아니었다. 그게 초산(初産)이라면 더더욱 그리했다. 생각보다 출산까지의 시간은 오래 걸리고, 또 그만큼 임부 역시 오랫동안 고통을 느껴야 했다.

"지금은 그저 임부가 조금이라도 덜 힘들도록 곁에서 격려해 주는 것밖에 없네. 아, 아빠 될 자를 불러와서 대화를 나누게 하는 것도 나쁘지 않고."

태산내내의 말에 예예가 물었다.

"그럼 언제쯤 출산할까요?"

"글쎄. 빠르면 반 시진 내, 늦으면 내일 아침까지 걸릴 수도 있네. 자궁이 열리는 속도가 조금 느린 걸 보면 아무래도 오늘 밤은 넘겨야 할 것 같군."

태산내내는 끄응, 하며 자리에서 일어났다.

"어쨌든 시간이 있으니 다들 좀 쉬게나. 밥도 먹고. 아, 이 집 꿩국이 정말 맛있는데 지금 준비가 되었는지 모르겠네. 그럼 나는 가서 밥이나 먹을까."

그녀는 입맛을 다시며 방을 빠져나갔다.

여인들은 서로 얼굴을 돌아보다가 고개를 끄덕였다. 밤을 지새우며 당혜혜를 보살피기 위해서는 역시 휴식과 밥이 필요했다. 그리고 순번을 정해 돌아가면서 그녀를 지키는 것도 한 방법이었다.

"그럼 예예와 소흔 먼저 밥 먹고 와. 장 도련님도 부르고. 나와 소화는 동생들이 갔다 온 후에 먹을 테니까."

나찰염요가 명료하게 상황을 정리했다.

"그리고 만해 사부에게 한 시진 정도 후에 약탕을 달이시라고 전하고."

"네. 그렇게 전할게요, 언니."

예예와 정소흔은 곧바로 방을 빠져나갔다.

가주의 적자(嫡子), 즉 소가주가 될 아이는 선천적으로 강하게 태어날까.

아니다. 그들은 태어난 후 인위적으로 강하게 만들어지는 것이다.

가주의 아들은 가문을 이끌어 나갈 의무와 책임이 있고, 그만큼 무공이 강해야 했다. 가문의 사람들에게 존경을 얻고 경외심을 받기 위해서는 누구보다도 강해야 했다.

그래서 가주의 적자는 태어나자마자 벌모세수를 하고 온갖 영약으로 목욕하고 젖과 함께 복용했다.

명문 세가의 수백 년 역사를 통해 꾸준히 개량되고 발전해서 이어져 온 영약의 효과는 실로 탁월하기 그지없어서, 이 시대에 이르러서는 가문의 적자가 심법을 익히기도 전에 거의 삼사십 년의 내공을 지니게끔 만들었다.

그렇게 시작이 다르니 평범한 무인들과의 격차는 시간이 흐를수록 급격하게 벌어질 수밖에 없었다. 태어나면서부터 영약 세례와 벌모세수 등 온갖 혜택을 받으며 자란 자와 땅바닥부터 헤엄치며 성장해야 하는 자의 격차는 그야말로 하늘과 땅의 차이라 할 수 있었다.

사천당문도 다른 명문 가문과 크게 다를 바가 없었다. 적자 정도의 대우까지는 아니더라도 당혜혜 정도 되는 혈통이라면 가문의 혜택을 받아 안정적이고 빠르게 무공을 익힐 몸으로 만들어 준다.

그리고 당혜혜와 장예추의 자식 또한 충분히 그런 혜택을 받을 수 있었지만, 아쉽게도 지금 당혜혜는 사천이 아닌 사천에서도 가장 멀리 떨어진 유주의 변방 어느 조그맣고 허름한 객잔에 누워 있었다.

하지만 당혜혜에게는 만해거사와 구자육이 있었다. 그리고 황궁의 보고에서 가지고 나온 온갖 영약들이 있었다.

그들로 사천당문의 혜택을 대체할 수 있었으니, 나찰염요가 만해거사에게 준비해 달라고 부탁한 약탕이 바로 그것이었다.

* * *

예예로부터 전갈을 받은 장예추가 한걸음에 이 층 당혜혜의 방으로 달려왔다. 지키고 있던 나찰염요와 소화가 잠시 자리를 비워 주었다.

장예추는 당혜혜의 옆에 앉아서 그녀의 손을 가볍게 붙잡았다. 그동안 나찰염요와 소화가 계속해서 얼굴과 몸을 닦아 주고는 있었지만, 여전히 당혜혜는 땀으로 흠뻑 젖어 있었다.

장예추는 안쓰러운 표정으로 당혜혜를 바라보았다. 순간적으로 찾아온 격통을 참느라 이를 악물며 안간힘을 쓰던 당혜혜가 허탈한 듯 눈을 뜨다가 문득 장예추를 올려다보고는 빙긋 웃었다.

"아이 이름은 정했어요?"

장예추는 천천히 고개를 끄덕였다.

"아들이라면 이름을 무행(武行)이라고 하고 싶어. 끝없는 무도(武道)의 길을 걸어갈 테니 지치지 말라는, 반드시 끝까지 걸어가라는 의미로 말이야."

"무행, 장무행이라……."

당혜혜는 눈을 감고서 몇 차례 그 이름을 중얼거리다가 고개를 끄덕이며 밝은 표정을 지었다.

"좋은 이름이에요."

장예추는 행여 그녀가 마음에 들지 않을까 걱정한 듯 가볍게 안도의 한숨을 쉬며 입을 열었다.

"그리고 딸이라면 당신이 지은 이름으로 부르고 싶어. 당신이 생각하고 정한 이름이 곧 우리 딸의 이름이 될 거야."

"피잇. 정하지 못해서 내게 넘기는 건 아니고요?"

"아냐, 그런 건. 그저 아무래도 딸은 당신을 닮았을 테니 역시 당신의 생각과 기도가 담긴 이름이 좋을 것 같아서."

"첫 딸은 아빠 닮는다고 했어요."

"그런가? 흐음, 보보를 보면 확실히 그런 것 같기도 하고. 하지만 그래도 나는 역시 딸은 당신을 닮을 거라고 생각해."

"아들이면 당신을 닮고요?"

"아들도 당신을 닮았으면 좋겠어."

장예추는 진심으로 말했다.

"외모뿐만 아니라 성격이나 성품 모두 당신을 닮았으면 해. 나보다는 당신이 열 배, 백 배 훨씬 더 나은 사람이니까."

당혜혜는 말도 안 된다는 듯이 고개를 저었다.

"저보다 당신이 훨씬 더 훌륭하다고요. 그러니 그런 말은 하지…… 으음."

당혜혜는 말을 하다가 말고 크게 얼굴을 찡그리며 이를 악물었다. 예고 없는 격통이 또다시 그녀를 찾아온 것이다.

당혜혜의 손을 쥐고 있던 장예추의 손에 자국이 남을 정도로, 그녀는 있는 힘껏 장예추의 손을 잡으며 몸부림쳤다.

그녀의 자궁이 조금씩 열리고 있었다.

10장.

바로 그 녀석입니다

왕후장상의 씨는 따로 없었다.
한순간 찾아온 왕(王)이 될 기회, 그 기회를 놓치지 않고 잡아채서
자신의 것으로 만드는 자만이 새로운 왕이 될 수가 있었다.
그게 일개 검객이든 아니면 시주승이든.

바로 그 녀석입니다

1. 계획된 장난

진통의 주기가 점점 더 짧아지고 빠르게 일었다. 장예추가 물러난 자리에는 태산내내와 나찰염요 등 여인들이 차지했다. 그녀들은 방 안 가득 뜨거운 물통과 수건을 챙겨 놓고 만반의 준비를 해 두었다.

"이상하군."

태산내내가 고개를 갸웃거렸다.

"난산이 아닌데도 이렇게 힘들어하다니…… 역시 나이가 있어서 그런가?"

그녀의 말에 시중을 들고 있던 소화의 얼굴이 핼쑥해졌다.

나이가 많으면 많을수록 출산의 시간이 길어지고 힘들

어지며 어려워진다.

이 시대 평균 초산 연령이 십 대 중후반에서 이십 대 초반임을 생각한다면, 비록 이십대 중반이라고는 하지만 당혜혜는 확실히 노산에 들어갔다. 그건 소화도 마찬가지였다.

"나이와는 상관없어요. 저도 서른 넘어서 애를 낳았으니까요."

나찰염요가 반박하듯 말했다. 태산내내는 일리가 있다는 듯 고개를 끄덕였다.

"그렇기는 하지. 평소 건강하냐, 그렇지 않느냐의 차이가 나이보다 클 수도 있으니까."

"혜혜 동생은 정말 건강하거든요."

소화가 빠르게 말했다.

"뭐, 그렇다면…… 그런데 왜 이리 힘들어하누?"

태산내내는 살가운 손길로 예예의 이마를 타고 흐르는 식은땀을 닦아 내며 중얼거렸다.

"이 할미가 있으니 걱정하지 마렴. 반드시 건강하게 아이를 낳을 수 있도록 해 줄 테니까."

이 층에 모인 여인들이 다들 초조하고 긴장해 있을 때, 아래층에 모인 사내들 또한 불안한 기색이 역력했다.

이미 늦은 저녁 시간임에도 불구하고 그들은 별다른 안

주 없이 술을 걸치고 있었는데, 누구 하나 입을 여는 이가 없었다. 주방에서 저귀가 그릇 씻는 소리만이 들려오고 있었다.

특히 장예추는 속이 타들어 가는지 쉬지 않고 한 잔, 두 잔 마신 게 벌써 커다란 술 항아리로 두 동이째였다.

"그러다 취한다."

강만리가 주의를 건넸다. 장예추는 애써 싱긋 웃으며 대답했다.

"취할 리가요."

내공이 절정에 이른 고수들은 내공의 힘으로 주기(酒氣)를 몸 밖으로 배출할 수 있었다. 그래서 마음만 먹으면 열 동이, 스무 동이를 마셔도 취하지 않았다. 물론 객잔이나 주루 주인은 쌍수를 들고 환영하겠지만.

하지만 저귀는 아니었다.

"적당히들 마셔. 마을 사람 마실 것도 있어야지."

설거지를 끝내고 계산대로 걸어 나온 저귀는 그렇게 타박했다. 유랑객잔은 손님이 많이 팔아 준다고 해도 욕을 얻어먹는 곳이었다.

"이 항아리까지만 마시죠."

장예추는 순순히 고개를 끄덕였다. 다른 사내들 또한 자신들 앞에 놓인 항아리만으로 족하다는 표정을 지었다. 화군악이 문득 생각났다는 듯이 주위를 둘러보며 물었다.

"참, 아이들은?"

"일찍도 생각한다."

강만리가 타박을 주듯 입을 열었다.

"담호와 목아가 재우고 있는 중이다."

"호오, 담호가 벌써 그럴 나이가 된 겁니까?"

화군악이 눈을 동그랗게 뜨며 묻자 저귀가 끼어들었다.

"무슨 소리? 담호는 훨씬 어렸을 적부터 제 동생을 잘 보살폈거든."

저귀는 어깨를 으쓱거리며 말했다.

"그 어린 나이에도 갓난아기였던 동생을 돌보고 재우고 먹이고 했으니까. 무심하기 그지없던 제 아비와는 전혀 달랐지, 처음부터."

그의 말에 사내들의 시선이 일제히 담우천에게로 향했다. 담우천은 묵묵히 잔을 들어 단숨에 비웠다.

그때 저귀가 계산대 앞으로 몸을 내밀며 사내들에게 물었다.

"그나저나 담호는 뭘 좋아하나?"

"왜요? 선물이라도 하게요?"

"빚을 좀 졌거든."

화군악의 말에 저귀는 인상을 찌푸리며 대꾸했다.

"아까 저녁 식사 때 나를 도와서 이것저것 심부름을 하지 않았나? 그래서 돈을 주려 했더니 한사코 마다하지 뭔가? 그러고는 그 깜찍한 꼬마 아가씨가 차라리 선물을 달라는 게야. 선물이라니, 도대체 뭘 달라는 게지?"

"아하."

화군악이 활짝 웃는 낯으로 고개를 끄덕였다.

"확실히 깜찍하고 영활한 꼬마 아가씨네요."

그렇게 초목아에게 대해 감탄하던 그는 문득 진지한 표정을 지으며 중얼거렸다.

"그나저나 왜 우리 곁에는 그렇게 무시무시한 여인네들만 득시글거리는지 모르겠네."

"무시무시하다니?"

"아, 그런 게 있습니다. 참! 선물이라고 했죠? 강호 무림인들에게 선물이라면 따로 뭐가 있겠습니까? 무인들이 가장 기뻐할 선물은 오직 한 가지뿐이죠. 자신의 무공을 높일 수 있는 것, 그거라면 두 아이 모두 진심으로 기뻐할 겁니다."

'또 초목아는 애당초 그걸 원하고 선물을 요구했겠고요.'

물론 뒷말은 화군악의 마음속 깊이 묻어 두었다. 아무리 말이 많은 화군악이라고는 하지만 그래도 해야 할 말과 그렇지 않은 말은 구분할 줄 알았다.

"무공이라……."

저귀가 눈살을 찌푸리며 머리를 긁었다.

"그 아이들도 무림인이란 말이지?"

"그럼요. 강호에서 강호의 밥을 먹고 살아가는데 당연히 무림인들이죠. 그리고 담호는 생각보다 훨씬 강해졌답니다."

"흠, 그건 나도 잘 알겠네. 요 몇 년간 좋은 스승 아래에서 제대로 배웠는지, 걸음걸이가 안정되어 있고 중심도 잘 잡혀 있더군."

"거기에 내공까지 제법 쌓았거든요. 이제는 상승의 심공을 익히기에 충분할 겁니다."

"상승의 심공?"

저귀가 고개를 갸우뚱거리자 화군악이 '에이, 알면서' 하는 가볍게 눈을 흘기며 웃었다.

"왜 있잖습니까, 담 형님께 전수해 주셨던 그 심법 말입니다."

"허어."

저귀가 탄식처럼 한숨을 내쉬었다.

"도대체 그깟 무공이 뭐라고 다들 이리 탐을 내는지 원……."

화군악의 눈이 커졌다.

"우리 말고 또 누가 탐을 내기라도 했습니까?"

"며칠 전 이곳에서 한 달 가까이 머물렀던 젊은 녀석이 있었네. 아, 그리고 보니 얼마 있으면 제 친구가 이곳으로 올지 모른다고 안부 인사를 전하라고 했는데."

순간 화군악의 눈빛이 달라졌다.

"혹시 우아해 보일 정도로 잘생기고, 언제나 부드러운 미소를 짓고 있는 녀석입니까?"

그렇게 묻는 그의 목소리도 사뭇 달라져 있었다. 이번에는 저귀의 눈이 동그랗게 변했다.

"음? 그럼 그 젊은이가 말한 친구가 자네였나?"

"이런!"

화군악이 탄성을 내질렀다. 그러고는 이내 곧 크게 웃으며 연신 고개를 끄덕였다.

"그래! 그래야지, 너답지! 죽지 않았을 줄 알았다!"

화군악은 저귀가 말한 청년이 누구인지 확실하게 아는 듯했다. 곁에 앉아 있던 설벽린이 설마, 하는 표정으로 물었다.

"누군데? 혹시 예전 악양부의 그 친구?"

"네. 그 녀석이 아니라면 누가 제게 안부 인사를 남기겠습니까?"

화군악은 기쁜 표정을 지으며 말했다.

"형님은 그때 그 녀석이 동정호 깊은 물속에 빠져 죽었을 거라고 했지만, 전혀요. 녀석은 쉽게 죽을 놈이 아닙니다. 잡초처럼 끈질기게 살아남아서 못다 이룬 꿈을 이루기 위해 지금껏 어딘가에서 재기의 발판을 다지고 있었을 겁니다."

그 말에 인증이라도 하듯 저귀가 고개를 끄덕이며 말을

받았다.

“아무래도 그동안 새외 변방을 떠돌아다닌 모양이더군. 몽고의 아가씨와 새외의 노인들이 그를 주군으로 모시는 걸 보면 말일세.”

“역시!”

고개를 크게 끄덕이며 감탄하던 화군악은 이내 눈을 휘둥그레 뜨며 설벽린에게 물었다.

“가만요. 그때 악양부에서 새외 천축의 인물들과 싸울 뻔했다고 하지 않았습니까?”

“그랬지.”

설벽린이 대답했다.

“그때 다 죽어 가던 너와 초 어르신을 구하기 위해 마차를 타고 악양부를 빠져나가던 길이었지. 초목아와 담호, 그리고 유 사부, 만해 사부와 함께 말이야.”

이야기하던 와중에 이미 죽은 유 노대가 떠올랐을까. 문득 설벽린의 목소리가 촉촉해지는 것 같았다. 하지만 그는 이내 활기찬 표정으로 말을 이어 나갔다.

“그때 만해 사부가 그들과 면식이 없었더라면 아마 큰 낭패를 봐야 했을 거야. 그만큼 그 서역의 고수들이 강해 보였으니까.”

“그러니까요. 형님께 이야기를 들었을 때, 갑자기 서역의 고수들이 우리 앞길을 막았다는 것부터가 왠지 수상쩍다고 여겼는데…… 그게 다 그 못된 녀석의 계획된 장난이었나 봅니다."

"계획된 장난?"

"네. 자신이 살아 있다는 걸 제게 알려 주고 싶었던 겁니다, 그 녀석은. 그리고 절 해치울 마음이 있다면 언제든지, 얼마든지 그럴 수 있다는 것도 보여 주고 싶었던 거겠죠. 늘 지켜보고 있으니 나를 잊지 말라. 뭐, 그런 전갈이었던 겁니다. 결국 그때의 사건은 말이죠."

"설마……."

"아닙니다. 그 녀석에 관해서는 제가 누구보다도 더 잘 알거든요. 만약 진짜로 우리를 해치울 마음이 있었다면 굳이 만해 사부와 인연이 있는 자들을 보내지 않았을 겁니다."

화군악은 이제야 잘 알겠다는 듯 팔짱을 끼며 고개를 끄덕이면서 말을 이어 나갔다.

"녀석은 제게 전갈을 보내는 한편, 그 서역 고수들에게는 자신의 명령을 완수하지 못했다는 죄책감을 씌우려 했을 겁니다. 그리고 아마도 녀석은 그런 서역의 고수들을 인자한 얼굴로 용서하고 외려 기운을 북돋워 주겠죠. 서역의 고수들은 자신들의 실패를 용서한 주군의 넓은 아량에 당연히 감복하고 더욱 충성을 다짐할 테고요. 완전히 꿩 먹고 알 먹기인 겁니다. 이야, 정말 머리 하나는 끝내주게 돌아간다니까!"

화군악은 팔짱을 풀고 무릎까지 탁 치면서 감탄했다.

"이거, 이거 강 형님과 그 녀석이 붙으면 과연 누가 이길지 벌써부터 궁금해지는데요."

"그러니까 그 녀석이 네 어릴 적 친구였던 종리 뭐시기라던 녀석이야?"

강만리가 묻자 화군악은 환하게 웃으며 고개를 끄덕였다.

"맞습니다, 종리군. 계집에 눈이 멀어 절 죽이려고 했던 바로 그 녀석입니다."

2. 왕(王)이 될 기회

아이들을 재우고 밤 수련을 하러 계단을 따라 내려오던 담호는 문득 대청을 가득 메운 심상찮은 분위기에 그만 걸음을 멈췄다.

"몽고와 서역이라……. 그럼 이곳 유주에 들른 건 여진 때문인 건가?"

강만리의 머리가 빠르게 회전하고 있었다.

"어쩌면 새외팔세(塞外八勢)라 불리는 변방의 모든 세력과 접촉하여 합종연횡을 꿈꾸는지도 모르겠군. 만약 그렇다면 그자의 야욕이 무림 정도가 아니라…… 어쩌면 나라 전체까지 노릴 정도로 엄청나다는 건데.”

“설마요.”

화군악이 웃으며 손을 흔들었다.

“아무리 그 녀석이라 하더라도 거기까지는 꿈꾸지 않을 겁니다.”

“아니지. 그건 모르는 일이야. 만약 그가 경천회와 손을 잡는다면, 아니 애당초 경천회 소속의 한 명이었다면…….”

강만리의 진지한 말에 화군악의 얼굴에서 천천히 미소가 사라졌다.

경천회는 아마도 건곤가가 배경에 있을 거라고 짐작되는, 황실 전복과 왕위 찬탈을 꿈꾸는 반역의 조직이었다.

황태자 주완령은 무림포두 강만리에게 그 경천회의 배후를 조사해 달라면서 의뢰를 주었고, 그 의뢰금 중의 일부가 지금 담우천이 가지고 있는 거궐이었다.

“진짜 그럴까요?”

화군악의 표정도 진지해졌다.

“하기야 그럴 능력이 있는 녀석이기는 하지만…… 아무리 그래도 새외의 세력과 합심하여 나라를 전복하려 할까요?”

“그건 모르지. 어쨌든 왕후장상(王侯將相)의 씨가 따로 있는 건 아니니까.”

그랬다.

이 나라의 초대 황제도 기존의 국가를 무너뜨리고 새로운 왕조(王朝)를 세웠으니까.

또한 초대 황제는 귀족이나 황족도 아니었다. 그저 젊은 날 시주로 밥 빌어먹고 다니던 시주승(施主僧)에 불과했다.

인연을 만들고 기연이 쌓이고 복과 행운을 얻으면서 점점 그 세를 불리다가 마침내 나라를 전복하고 새로운 왕조의 주인이 되었던 게다.

왕후장상의 씨는 따로 없었다. 한순간 찾아온 왕(王)이 될 기회, 그 기회를 놓치지 않고 잡아채서 자신의 것으로 만드는 자만이 새로운 왕이 될 수가 있었다. 그게 일개 검객이든 아니면 시주승이든.

"흠, 골치 아프게 되었다."

강만리가 엉덩이를 긁적이며 투덜거리듯 말했다.

"지금 상황을 헤쳐 나가는 것만으로도 머리 아파 죽을 지경인데, 거기에 느닷없이 군악 네놈의 옛 친구라니. 어쩌다가 그런 녀석을 친구로 뒀는지 모르겠다."

화군악은 다시 활짝 웃으며 말했다.

"그러니까요. 처음 만났을 때만 하더라도 서로 이렇게 죽고 죽이려고 할 줄 몰랐죠, 정말."

"말은……."

강만리가 한 소리 하려다가 문득 기척을 느끼고는 고개

를 돌렸다. 계단에 우두커니 서 있던 담호가 그와 시선을 마주치고는 화들짝 놀랐다.

마치 나쁜 짓을 하다가 들킨 듯한 담호의 반응을 본 강만리가 웃으며 물었다.

"아이들은?"

"다들 잠들었어요. 목아 누나도요."

"그래? 그런데 넌 자지 않고 어딜 가려고?"

"오늘 분량의 수련을 빼먹었거든요."

"허어."

강만리가 감탄하듯 탄성을 흘렸다. 강만리뿐만이 아니었다. 대청에 앉아서 술을 마시던 자들 모두 입을 벌린 채 담호를 쳐다보았다.

담호가 쑥스럽다는 듯이 고개를 숙일 때, 강만리가 탄복하여 말했다.

"정말 너는 당해 내지 못하겠구나. 어찌 그리도 수련에 열심인 게냐? 그렇게 수련하는 게 좋더냐?"

"이 무덥고 습한 날씨에 땀 흘리면서 매번 같은 동작을 반복하는 게 재미있겠어요?"

화군악이 말했다.

"그저 하루빨리 고수가 되어서 우리 숙부들의 코를 납작하게 만들고 싶은 거겠죠."

"아니에요, 그건."

담호가 놀라 부인했다.

"그저 무공 연습이 좋기도 하지만, 무엇보다 제대로 된 한 사람의 몫을 해내고 싶기 때문이에요. 여러 숙부께 폐를 끼치지 않고 다른 가족들을 지킬 수 있는, 그런 실력이 되고 싶거든요."

"흠, 지금도 네 또래 중에서는 제일 강할 것 같은데?"

"아뇨, 이 정도로는 부족해요. 건곤가와 살막, 은자림이 우리를 노리고 있는 데다가 또 경천회와 화 숙부의 친구까지 염두에 두어야 하니까요."

"허어, 네가 거기까지 생각할 필요는 없을 것 같은데."

"그래도 한 사람이라도 많으면 그들에게서 가족을 지키는 데 도움이 되잖아요?"

"뭐 그야 그렇지만."

"아창이나 아정, 보보 모두 아직 한참 어리잖아요. 그 아이들을 제가 안전하게 지킬 수만 있다면…… 숙부, 숙모들께서 훨씬 더 힘내서 싸우실 수 있을 테니까요."

담호의 말에 지금껏 계속 그와 대화를 나누던 강만리 대신, 갑자기 저귀가 불쑥 질문을 던졌다.

"흠, 그럼 너는 선변에 나서서 싸우고 싶지 않더냐?"

"그건……."

담호는 살짝 얼굴을 붉히며 망설이다가 입을 열었다.

"물론 실력만 된다면, 숙부들의 뒤를 잡지 않을 정도만 된다면 저도 전면에서 싸우고 싶어요. 하지만 그보다 더 중요한 건 우리 가족의 안전이라고 생각하거든요."

"그렇군."

저귀가 팔짱을 끼며 고개를 끄덕였다. 다른 사람들과는 달리 홀로 계속해서 술잔을 기울이던 담우천이 입을 열었다.

"그런 소리 할 시간이 있으면 어서 밖으로 가서 수련이나 더 하거라."

"네, 아버지. 죄송합니다."

담호는 꾸벅 인사를 하고는 서둘러 계단을 내려와 대청 밖으로 사라졌다.

"너무 엄하게 키우시는 거 아닙니까?"

설벽린이 물었다. 화군악도 동조했다.

"그래요. 사정 모르는 사람이 보면 남의 자식이라고 오해하겠습니다."

"그런가?"

담우천이 모호하게 말할 때, 저귀가 알겠다는 듯 고개를 주억거리며 입을 열었다.

"어찌 대하는 게 제대로 대하는 건지 잘 몰라서 그러는 것일 뿐일세."

저귀는 계산대 밖으로 걸어 나와 담우천 앞자리에 털썩 주저앉더니 술병째 입에 대고는 꿀꺽꿀꺽 들이켰다. 그리고 거칠게 입술을 닦은 후 "끄윽." 하고 트름을 한 후 입을 열었다.

"어찌 제 자식이 귀엽고 예쁘지 않겠나? 특히 저렇게 올바르고 착한 아이를 말일세. 이것저것 다 해 주고 싶겠지. 하지만 그게 과연 아이에게 좋을까 망설이게 되고, 어쩌면 좀 더 엄하게 키우는 게 훨씬 낫지 않을까 고민하게 되지."

그 와중에 자신의 어린 시절을 떠올려 본다. 지금껏 자라오면서 잘했던 것들보다 후회했던 것, 하지 않았어야 할 것들을 먼저 생각한다.

그리고 제 아이는 후회하지 않도록, 해야 할 것만 하도록 가르치고자 한다.

"그런 것이야, 지금 이 친구는."

저귀는 담우천에게 자신이 입을 대고 마셨던 술병에서 술을 따라 주며 말을 이었다.

"어느 게 올바른 교육인지는 확신하지 못하지만, 그래도 나름대로는 최선의 방법이라고 생각하면서 지금처럼 행동하고 말하고 있는 게지. 안 그런가?"

그의 질문에 처음으로 담우천의 표정이 변했다. 담우천은 쑥스러운 듯, 혹은 난감한 듯, 혹은 자신이 없는 듯한 표정을 지으며 입을 열었다.

"대충 그와 비슷하오."

"그럼 자네들은 어떤가?"

저귀는 갑자기 다른 사내들, 강만리와 화군악, 설벽린

과 장예추를 돌아보며 물었다. 사내들은 허를 찔린 듯한 얼굴이 되었다.

돌이켜 보건대 그들이 자신의 아이와 함께 지낸 적은 거의 없었다. 늘 밖으로 돌아다니고 몇 달씩 강호를 떠돌다가 돌아와 어느새 훌쩍 자란 아이의 모습에 감탄할 뿐이었다.

자식을 돌보는 건 제 어미의 일이다.

어쩌면 지금껏 그런 생각을 하고 있었던 건 아닐까.

"저는 아직 혼인도 하지 않았거든요."

설벽린이 유쾌하게 말했다.

"하지만 만약 아이가 있다면 이 무정한 아버지들과는 전혀 다르게 키울 자신이 있습니다. 매일처럼 함께 지내면서 친구처럼, 동료처럼, 선배처럼 이 세상을 살아가는데 필요한 모든 걸 아낌없이 전해 줄 겁니다."

"아이가 있다면 말이죠."

화군악이 깐죽거렸다.

"하지만 아이가 없잖습니까, 설 형님은. 그리고 언제 아이를 가질지도 전혀 알지 못하고요."

설벽린의 눈빛이 가늘어졌다.

"이봐, 난 말이지 마음만 먹었으면……."

"네. 저만한 아들이 있었을 거라고요? 그 말씀 많이 들었습니다만 현실은 노총각에 지나지 않잖습니까?"

"흥! 그건 말이지, 혼인해서 한 여인에게 얽매는 것보다 여러 여인과 노는 게 아직 좋기 때문이야."

"뭐, 얼마든지요. 누가 뭐라고 합니까?"

화군악이 실실 웃자 설벽린의 눈빛이 더욱 표독스러워졌다. 그가 발작하려 하는 순간, 강만리가 입을 열어 제지했다.

"그만들 해라. 위층에 들리겠다."

일순 화군악과 설벽린이 동시에 입을 다물었다.

이 층의 그 긴장감과 초조함을 잠시 잊고 있었음을 깨달은 그들은 누가 먼저라고 할 것도 없이 장예추를 돌아보았다.

그렇게 사람들이 대화를 나누는 중에도 단 한 마디 끼어들지 않았던 장예추의 앞에는 어느새 텅 빈 두 동이의 술 항아리만이 놓여 있었다.

사람들은 꿀꺽 마른침을 삼키며 이 층의 기척을 살폈다. 아직 별다른 움직임이 없는 듯했다. 아무래도 이 밤을 꼬박 새워야 할 모양이었다.

3. 많은 일이 일어나는 밤

낮의 후끈한 열기가 채 가라앉지 않은 밤의 황무지. 유랑객잔의 뒤쪽으로는 조그만 막사들이 펼쳐져 있었고, 모닥불 앞에서 두런두런 대화를 나누는 무사들이 있었다.

경비는 양위의 지휘하에 철저하게 서는 중이었다. 대략 삼십 명 가까운 무사가 유랑객잔 주위로 약 오십여 장 거리까지 나가서 일정한 간격으로 주변 경계를 했다.

담호는 그들에게 방해가 되지 않도록 객잔 한쪽 구석에 자리를 잡고 천천히 몸을 움직였다. 그가 처음 몸을 풀 때 펼치는 무공은 용무팔권(龍武八拳)이었다.

용무팔권은 그 이름에 걸맞게 동작은 화려하고 시원하게 내지르는 맛은 있지만, 아주 단순한 초심자용의 권법이라 실전에서는 별 소용이 없는 권법이기도 했다.

하지만 담호에게 있어서 용무팔권은 남다른 무공이었다. 이미 세상을 떠난 어머니, 자하가 그에게 가르쳐 준 무공이자 처음으로 담호가 익혔던 무공이었으니까.

그래서인지 용무팔권을 시전할 때면 마치 고향에 돌아온 것처럼 편안하고 아늑한 기분이 들었다.

"예전과는 많이 달라졌구나."

한참 용무팔권을 반복하여 펼치는 데 심취해 있던 담호는 느닷없이 등 뒤에서 들려온 묵직한 목소리에 깜짝 놀라며 동작을 멈췄다.

"방해된 게냐?"

저귀였다.

그는 쓰레기를 버리려 나온 듯한 모습으로 서서 담호를 지켜보고 있었다.

"아니에요."

담호는 웃으며 물었다.

"제가 이 무공을 펼친 걸 본 적이 있으세요?"

"그럼."

저귀는 들고 있던 바구니를 내려놓으며 자리에 쭈그리고 앉았다.

"네가 처음 이곳에 왔을 때 남몰래 혼자 연습한다고 저 뒤쪽에 나와 수련하는 걸 본 적이 있지. 그때 몇 마디 거들까 하기는 했지만, 뭐 그럴 필요가 있을까 하고 그만뒀던 기억이 나는구나."

"혁자룡(赫紫龍), 혁 아저씨가 많이 도와주셨어요."

"혁자룡이라……."

저귀는 문득 그간 잊고 있었던, 아주 오래전 옛사람을 추억하듯 가늘게 눈을 뜨며 밤하늘을 올려다보았다.

혁자룡은 이곳 유명촌을 근거지로 살아가던 낭인이자, 유명조(幽冥組)라는 무리의 수좌였다. 당시 혁자룡은 자신의 동료들과 담우천과 함께 표국의 물건을 털다가 목숨을 잃고 말았다.

"뭐, 그게 낭인들의 삶인 게지."

저귀는 그 말 한마디로 그동안 잊고 있었던 혁자룡의

추모를 끝낸 후, 다시 담호를 바라보며 말을 이었다.
"그래, 너도 선물로 무공이나 무기를 받으면 기쁘겠느냐?"
담호의 얼굴이 살짝 붉어졌다.
"물론이죠. 하지만 그럴 필요는 없으세요. 선물을 받을 정도로 대단한 일을 한 것도 아니니까요."
"그나저나 아무래도 네 그 얼굴 붉히는 건 고쳐야 하겠다."
"네?"
"사내가 자꾸만 그렇게 얼굴을 붉히면 사람들이 업신여기기 십상이거든."
담호의 얼굴이 다시 붉어졌다. 저귀의 입가가 씰룩거렸다. 그는 헛기침을 하며 표정을 관리한 후 다시 입을 열었다.
"예전에 홍안자(紅顔子)라는 친구가 있었지. 성이 나거나 수치를 느끼면 새빨갛게 얼굴이 붉어졌지. 그럴 때마다 그를 본 사람들은 더 비웃고 더 조롱하면서 자꾸 그를 부추겼고. 누구보다도 착하고 순하던 홍안자는 분노를 참지 못하고 마구 사람들을 때리고 쓰러뜨렸단다. 훗날 홍안살마(紅顔殺魔)라는 마인은 그렇게 태어난 게지."
저귀는 담호를 바라보며 차분한 어조로 말을 이어 나갔다.
"물론 나쁜 건 그를 놀리고 비웃던 놈들이지. 하지만 그가 그렇게 얼굴을 붉히지 않았더라면 그를 놀리는 이들이 없었을 테고, 그 착한 녀석이 천하의 둘도 없는 살인마가 되는 일도 없었을 것이야."

가만히 듣고 있던 담호가 고개를 갸웃거리며 말했다.

"하지만 그래도 그분을 놀리고 비웃던 사람들이 나쁜 거 같은데요. 고작 얼굴 붉히는 것으로 그렇게 놀리는 건……."

"그럼 겨우 그 정도 놀리는 걸로 수치심을 참지 못하고 사람을 죽이는 건?"

"그건……."

"모든 게 선(線)이 있는 법이다. 그 선을 넘으면 과하게 되고 선을 넘지 않으면 모자라게 되는 게다. 그 선을 두고 네가 먼저 선을 넘었니, 내가 먼저 넘었니 하고 따지는 것도 우습지 않겠느냐? 상대가 선을 넘는다고 해도 나만 선을 지키면 되는 게니까."

"그럼 아저씨는 한 번도 선을 넘지 않았어요?"

"설마 그렇겠느냐? 내가 부처도 아니고."

저귀는 희미하게 웃으며 말했다.

"단지 그런 경계심을 가지고 살아가자는 게다. 과하지도, 모자라지도 않게. 그 선을 유지하면서 올곧게 걸어가자는 게다. 그러기 위해서는 너의 괜한 약점이 될 부분부터 고치고 다스려야 할 테고, 그렇다면 얼굴을 붉히는 것부터 시작하는 게 어떠냐는 게 내 의견인 것이야."

"명심하겠습니다."

담호는 저귀에게 고개를 숙인 후 환한 표정으로 말했다.

"지금 해 주신 이야기로 선물을 대신하면 될 것 같네요."

"아니지. 그건 법도가 아니지."

저귀가 고개를 저었다.

"겨우 말 한마디로 때울 만큼 배포가 적은 내가 아니다. 선물을 준다 했으면 주고, 또 주기 싫으면 주지 않는 게야. 으음, 그럼 뭐가 좋을꼬?"

저귀는 고민하기 시작했다.

"무공이라면 네 숙부들에게 배울 것도 차고 넘칠 테니까, 그렇다고 아직 어린 네게 살인의 무기를 주는 것도 영 그렇고……. 허어, 이것 참 곤란하군그래."

담호는 몇 번이나 거듭해서 사양했지만 저귀의 고집을 꺾을 수가 없었다. 결국 담호는 포기하고는 홀로 고민하는 저귀를 남겨 둔 채 다시 수련에 집중하기 시작했다.

* * *

"음? 뭐하고 있습니까?"

설벽린이 밖으로 나왔다가 열심히 무공을 수련 중인 담호 앞에서 턱을 괸 채 쭈그리고 앉아 있는 저귀를 보고 고개를 갸웃거리며 물었다.

"아, 아무것도 아닐세. 그럼 쓰레기를 버리러 갈까?"

그때까지 마땅한 선물을 찾지 못하고 고민하던 저귀는 끄응 하며 자리에서 일어났다. 그리고 내려 둔 바구니를 챙기고는 어슬렁거리며 자리를 떠났다.

설벽린은 다시 한번 고개를 갸웃거리다가 길게 기지개를 켜며 중얼거렸다.

"나도 너만 할 때는 그런 열정이 있었는데 말이지."

담호는 미처 그 소리를 듣지 못한 듯 여전히 주먹을 내지르고 발을 뻗었다.

잠시 그 광경을 구경하던 설벽린은 "그럼 난 간다." 하면서 몸을 돌렸다. 왠지 그의 가슴이 아려 왔다.

그때였다.

"응? 나와 있었나?"

늙수그레한 목소리가 객잔으로 향하던 설벽린의 발길을 붙잡았다. 설벽린이 뒤를 돌아보았다. 헌원 노대였다.

"마침 잘됐네. 안 그래도 자네를 부르려고 가던 참이었는데."

"무슨 일이신데요?"

"무슨 일은 무슨 일. 까맣게 잊고 있었나 보지?"

"네? 아, 그거요?"

"그래. 이곳에 오는 동안 계속 고치고 개조했네. 이제는 더 손볼 데가 없네. 그러니 받게나. 마음에 들 걸세."

헌원 노대는 들고 있던 물건을 설벽린에게 건넸다. 설

벽린의 표정이 환해졌다.

"이야, 이겁니까? 진짜 고맙습니다. 노대는 제 평생의 은인이십니다."

"공치사는 무슨. 착용해 보고, 사용해 본 다음에 치사를 해도 늦지 않네."

"아뇨, 보기만 해도 딱 마음에 드는데요? 그럼 어디 한번 착용해 볼까요?"

설벽린은 헌원 노대에게서 받은 물건을 제 오른팔에 가져갔다.

* * *

갓 태어난 아기가 세상을 향해 첫울음을 터뜨린 건, 밤이 깊다 못해 새벽이 가까워질 때였다.

"응애!"

유랑객잔 이 층의 한 방에서 터진 울음소리는 그때까지 초조하게 기다리고 있던 이들은 물론 잠들어 있던 자들까지 모두 깨울 정도로 우렁찼다.

사람들은 남녀노소 할 것 없이 모두 기뻐하며 안도의 한숨을 내쉬었다. 비록 삶이 어렵고 세상이 힘들다 할지라도 새로운 생명의 탄생은 언제나 사람들에게 기쁨과 행복을 가져다주었다.

"아들일까? 딸일까?"

막사 안의 사람들은 저마다 궁금해하며 이야기꽃을 피웠다.

"아이와 장 부인 모두 건강하시겠지?"

"얼마나 귀여울까? 당장이라도 올라가서 보고 싶은데."

그렇게 사람들이 웃으며 대화를 나누고 있을 때였다.

"응애!"

또 다른 울음소리가 다시 유랑객잔에 울려 퍼졌다. 첫 번 째보다는 조금 작고 힘겨워하는 울음소리. 그 소리를 들은 사람들의 표정이 급변했다.

"설마……."

"쌍둥이였던 거야?"

사람들의 수군거림이 끊이지 않는 밤이었다.

(무림오적 45권에서 계속)